ソビエト帝国の崩壊

瀕死のクマが世界であがく

小室直樹

光文社未来ライブラリー

0009

まえがき

ソビエト帝国は、『資本論』という一冊の本が生んだ巨大な人造国家である。レーニン、スターリンの天才がはぐくみ育てた人類の夢であった。

しかし、現在のソビエトはどうであろうか。平等社会の理念のかげに恐るべき特権階級がいる。彼らの生活の贅沢《ぜいたく》さは〝大資本家〟以上だ。搾取《さくしゅ》なき労働に生き生きとしているはずの労働者、農民は、ヤミ物資の入手にきゅうきゅうとし、形だけのノルマ達成に責任のおしつけ合いをしている。弱い者いじめしかできない〝張り子の軍隊〟は、世界じゅうに脅威をふりまきながら、国家そのものを乗っ取ろうとしている。

私はこの本で、ソビエト帝国というものを、その根源から考えなおしてみた。そして得た結論は、この国が、かならず内部から瓦解《がかい》する、いやすでに崩壊しつつあるということだ。

アフガン問題をきっかけにして、ソビエトに対する関心が、にわかに高まってきた。というより、反ソ感情が、日本全国をおおいつくしている、というほうが正確かもしれない。

しかし、日本人のソビエトに対する理解、行動分析となると、これはもう、お寒いかぎりだ。

その中でも幼稚をきわめるのが、ソビエトには基本的に膨張主義がある、という考え方だ。ソビエトという〝赤いクマ〟が、寒い寒いと言いながら、あたたかい土地を求めて南下してくる、というものだ。いわゆる〝地政学〟もこのたぐいだ。数多く出版されている未来戦ものも同様だ。その大部分の設定によれば、ソビエトは、ただない、なんとなく攻めてくることになっている。地球上で、もっとも〝科学的〟な原理による国家を、まるで中世の帝国のようにとらえているのだ。

ソビエトの行動を、すべてクレムリンの権力争いによるものと断定する人もいる。国内の経済的失敗から国民の目をそらすためのカモフラージュという人もいる。すべて一面的で、幼稚だ。まるで『十八史略』か『三国志』の世界ではないか。

ソビエトのかかえている問題は、そんな生《なま》やさしいものではないのだ。この国は、たとえ、全ユーラシア大陸を占領しても、クレムリンの権力争いがなくても、経済的失敗がなかったとしても、マルクスが予言していた解決できない根本的な矛盾をかかえている。それは、皮肉なことに、マルクスが予言していたことだ。資本主義をへないでできてしまった社会主義——その存在の矛盾に、すべてが帰着する。この事実を、発想の根底においたとき、はじめて、ソビエトが理解できる。その行動の謎がとけるのである。

私は、この本の1章で、ソビエトという国家の社会、経済、イデオロギー、すべての面にわたって、検討を加えた。その結論は、この国がすでに内部崩壊しつつあるということだった。2章で、軍隊の問題を考えた。内部崩壊の過程で、一見強力な軍隊の組織の論理が、どう作用するか分析した。ソビエト軍は、外に出ていって勝った経験のない〝内弁慶〟であることにも言及した。3章では、緊迫した国際情勢の中で、日本はどう行動すべきか、について述べた。現在の防衛論議が、その前提においてまちがっていると思ったからだ。

この本が、巨大な隣国を理解するうえで、読者のお役にたてれば、著者として、たいへん満足である。

なお、この本を書くにあたって、多くの資料を使わせていただいた。とくにTIME誌のソビエト特集号、『ロシア人』（ヘドリック・スミス著、高田正純訳、時事通信社刊)にはお世話になった。スペインの国際法学者アラネギ氏、インドの政治学者ナーガルジナ氏、ドイツの東方問題研究所のディートリッヒ・ハインツィッヒ博士、ジャーナリストの中江克己氏のご協力をえた。あわせて謝意を表しておきたい。

小室直樹《こむろなおき》

昭和五十五年七月

ソビエト帝国の崩壊　目次

2　ソビエト軍は見せかけほど恐くない

2 みずからの弱さを知ったソ連軍が危ない 146

3 日本を滅ぼす〝平和・中立〟の虚構

1

ソビエトの内部崩壊がはじまった

1　ソ連社会はロシア革命直前とそっくりだ

〝階級のない国、ソ連〟という幻想

マルクスは、世界史は階級闘争の歴史である、といった。このことが、もっともよくあてはまるのが、皮肉なことに、今日のソ連である。

ソ連には、革命によってなくなったはずの〝階級〟があり、その階級間の矛盾と対立が、ソ連社会に大きな影を落とし、ソ連の外交政策、国内政策を、大きく動かしているのである。それは、日本やアメリカなどの資本主義国などは足もとにも及ばないほど激烈なものであり、その矛盾と対立によって、ソ連の侵略政策が生みだされている、といっても過言ではない。

この本の目的は、マルクスのいう、階級闘争という図式《モデル》によって、今日のソ連の行動を説明し、その将来を見とおそうというところにある。

そのために、まず、

（1）ソ連に、現在でも階級があり、

（2）階級間の矛盾、対立には、じつに激しいものがあり、

（3）さらに、階級の一般化である階層をも考慮にいれると、この矛盾、対立は、じつに深刻な様相をおびてくる、

ことを説明しよう。

今日のソ連には、資本家対労働者といった意味での階級対立はない。それどころか、階級闘争を止揚《アウフヘーベン》して、無階級社会をつくりあげたのが今日のソ連である、と学校で教えられる。ソ連に好意をもたない人びとであっても、階級をなくすということだけに関しては、ソ連では成功しているにちがいないと信じている。本当にそうなのだろうか。

日本人ならだれしも、一九四五年八月九日、第二次世界大戦が終了する六日前に、ソ連が日ソ中立条約を侵犯して満州に攻めこんできたことを覚えている。長期間抑留されて、さんざんの苦労のあげくにやっと帰ってきた人も多い。この間の労苦のために死んでしまった人だって少なくはないのだ。

いつの世論調査でも、ソ連はきまって、嫌《きら》いな国の筆頭にくる。彼らの生活水準の

低さ、経済の非能率性、みんな日本人の常識になってしまっている。ソ連における自由のなさ、非民主的な統制ともなると、これはもう常識以前の問題である。それに今度のアフガン侵攻だ。

こうなると、暗いイメージはみんなソ連に結びついてしまって、帝政ロシア時代における侵略主義まで思い出され、ソ連といえば悪魔の国の代名詞みたいになってしまった。その証拠に、いわゆる心情ソ連派――ソ連を天国のように思い、反ソ主義に条件反射的に反対する人びと――も、今度という今度は、完全に沈黙してしまっているではないか。

このように、現時点におけるソ連は評判が悪いのではあるが、これらの人びとでも、ただ一点においては、ソ連を高く評価しているにちがいないのだ。いわく、無階級社会、資本家と労働者との階級間矛盾をなくした国――。

このことは、現在わが国の政治的矛盾をみせつけられるにつけても、高く評価しなければならないことと、だれしも思うにちがいない。

朝から晩まで必死になって働いても生活苦に追われている多数の庶民がいる一方で、大企業から何億円もの金をもらって平気な政治家がいる。一夜の賭博《とばく》で何億という金をすって涼しい顔をしている代議士がいる。それらがみんな、直接、間接に大企業の利益と結びついている。

こんなことを、これでもかこれでもかと毎日みせつけられると、現代は独占資本主義の世の中であって、独占資本こそ諸悪の元凶であり、すべてけしからんものは資本主義の矛盾の所産だと、だれしも思いたくなる。

もし、そうだとすれば、資本主義の矛盾のない国、朝から晩まで働いても、生活苦からにげられない多数の庶民がいるのに、何億もの金を湯水のごとく浪費して少しも恥じない代議士がいない国、彼らに惜しげもなくこんな大金を出してやる大企業のない国、無階級の国とは、なんとすばらしいものだ、と思う。

ところが、現在のソ連にも階級はあるのだ。より正確にいえば、たとえ階級《クラス》がないとしても、依然として階層《ストラティフィケーション》はある。ここのところは、学者間にむずかしい論争のある点なので、本論にはいるにさきだって、言葉の意味を明確にしておくことにしよう。

威信なき富は、社会的に無である

階級とは何か。今ならだれしも、金持ちと貧乏人のことだと答えることだろう。大将から二等兵の兵隊の階級を連想する人は、もうあまりいないだろう。お金という経済の指標に着目すれば、そう考えてもよい。

しかし、マルクスは、もう少し社会学的に考えて、生産手段を所有する階級――これが資本家である――と、そうでない階級――労働者階級――とを考えた。そして、結果的に、資本家は金持ちになり、労働者は貧乏人になると考えた。この学説が、事実として正しいかどうかをめぐっては、その後、多くの学者のあいだに激しい論争を呼ぶことになったが、ともかく、彼の教えは、世界中にキリスト教に匹敵する影響を与え、彼の主著『資本論』は、聖書につぐベストセラーとなった。

このように、経済ということだけに着目すると階級という考え方が出てくるが、ここで注目しなければならないことは、人間が差別されるのは経済面にかぎらない、ということである。

たとえば、アメリカの無差別論者のスローガンは、就職、就学、住居における差別の撤廃であるが、これは経済面の問題ではない。日本の部落解放の要求をみても、そこにおける差別とは、結婚、交友、差別用語などについてである。これらは経済的要求ではない。もっともっと広い、社会的なものである。

では、社会的差別とは、いったい、何における差別のことをいうのであろうか。それにも、じつは多くのものが考えられるのではあるが、とくに重要なものは、威信《プレステージ》と勢力《パワー》であり、ついで重要なものとして、安全、社会的居心地のよさ、文化享受などが考えられる。そして、これらの分配において不平等であれば、その社会は、経済においてどれほど平等であっても、やはりそこには社会的不平等と差別があると考えなければならない。

このように、経済だけでなく、威信、勢力などにも着目して考えた場合、これによる人びとの組分けを階層という。さらに、安全、社会的居心地のよさ、文化享受などにも考えをおしひろめれば、階層の概念はさらに一般化される。もう少し具体的に説明しよう。

まず、威信であるが、これは簡単にいうと、人に尊敬される、ということである。どんなにお金があっても、人に尊敬されなければ、その人の存在は社会的に無にひとしく、多くの人はこんな状態を耐えしのぶことはできない。

山崎豊子さんの有名な小説『白い巨塔』のなかで、大阪の開業医である義父は、娘婿財前《ざいぜん》五郎に対し、「金はしょせん金にすぎん」というが、これは要するに、威信のない金などは社会的にはたいしたことではないということであろう。大阪の拝金主義者ですら、なおかくのごとし。というより、商都大阪で金をもとめて働きづめの苦労人であればこそ、金の威力をよく知っているというべきか。それであればこそ彼は、浪速大学助教授の財前五郎を教授にすべく、金にあかせて、あらゆる権謀術数を試みるのである。

事情はロシアにおいても同襟である。どんなに金がたまっても、威信のない人間は、社会に身の置きどころはない。ツルゲーネフの小説に次のようなテーマのものがある。主人公である志のある農奴《のうど》は、いまだに偏見にみちみちた郷里を去ってペテルスブルグへ行き、医学を修める。ときに一八六九年である。といえば、彼の苦労がどんなものであったか、容易に想像できよう。というのは、アレクサンダー二世による農奴解放が一八六一年、それからわずか八年しかたっていないのである。世の中の人からみれば、解放されたといっても農奴は農奴、そうしかみてくれない。

解放前の農奴といえば、ロシアでは、まあアメリカの黒人奴隷みたいなものだと思えばいいだろう。それでもアメリカとはちがって、農奴牧場などがない点では、ましだったといえようが、それ以外では、あまりちがわなかった。土地が売られれば、それについて、農奴もいっしょに売られるのである。それどころか、貧しい国ロシアの農奴は、豊かな国アメリカの奴隷より、はるかに生活水準は低かった。このことは、当時のロシア貴族の生活水準がヨーロッパなみに高かったことを思いあわせると、ロシアにおいては、農奴など人間よりも動物に近い、とみなされていたとしても、少しも不思議ではない。

しかし、彼は、敢然としてペテルスブルグへ出て医学を修める。いくつかの幸運な事情にも助けられて、彼は医者になることに成功する。その後の彼は、とんとん拍子に成功を重ねて裕福になり、ペテルスブルグでも名医の一人にかぞえられるまでになる。ガールフレンドもできて、結婚することになる。ところがここで、彼の身分が、じつは解放農奴であることが暴露されるのである。これで全部がおしまいになる。ガールフレンドからも、ペテルスブルグの上流社会からもいっさい見すてられて、彼は自殺する。

ツルゲーネフの筆は、当時のロシア社会の矛盾をあますところなく摘出しているが、また社会学的にも重要であって、威信なき富は、それがいかに大であっても、社会的に無であることを宣しているのだ。日本の部落解放の運動で、差別用語の使用禁止が重要なテーマとなっていることも、理由のないことではないのだ。

勢力は、それ自体、大きな欲望である

威信とならんで重要な社会的な差別原理は勢力《パワー》である。これは権力と訳されることもある。

政治や経済の世界に、黒幕というのがいる。決して表面に出ることはない。それでも、大きな勢力をもっているのである。この人びとにとっては、勢力をふるうこと自体がおもしろくて仕方がないのであり、そのことによって金や威信が得られなくても、どうでもよい場合もある。

かつて、カイゼルの帝政ドイツ外務省に、ホルシュタイン男爵という有能な事務官がいた。とにかく勢力をふるうことが好きなのである。彼は、そのことによって、お金がもうかるのでもなく、また、昇進が早くなって威信が加わるのでもないのに、ともかく勢力をふるうことに熱中した。これは、一見、私心がないようにも思えるので、カイゼル・ウィルヘルム二世も、帝国宰相もホルシュタインをいたく信用してしまった。これが後にたいへん不幸な結果をドイツ外交政策にもたらすことになるのだが、はじめはだれも気づかなかった。

要するにホルシュタイン男爵は、金や名誉（威信）に関しては少しも欲望を感じな

かったが、勢力をふるうことに関しては、気違いじみた欲望をもっていたことになる。いわば、これが彼の私心であった。

このように勢力は、それ自体、金（富）や名誉（威信）とならんで、人間の大きな欲望の一つである。日本にも、これと似た話がある。

大正時代に大発展をとげた総合商社に、鈴木商店というのがあった。三井、三菱につぐ規模を有し、成長率とエネルギーにおいては日本一、目をみはらせるような大仕事を次から次にうち出して、日本一の大商社になる日も遠くはないとみられていた。その鈴木商店の大番頭であり実質的支配者であった金子直吉《かねこなおきち》は、金にも名誉にもまったく無関心で、専心、主家のために身を粉にして働いた。この点に関して彼の志をうたがう者は一人もいなかった。要するに、彼は、この意味では使用人として完璧《かんぺき》なのであり、まったく私心はなかったといってよい。

では、あらゆる意味で彼に私心はなかったか、となると、大いに疑問がある。実質的に、鈴木商店は彼のものであった。彼の命令は直ちに実行され、反逆はいっさい許されなかった。彼の勢力は、鈴木商店のなかに完全にゆきわたった。彼は、金や名誉ということについては一切を要求しなかったが、勢力については一切をにぎって離さなかったのである。

それであればこそ、世人は鈴木商店をもって彼の私有物とみ、焼き打ちのときなど、彼がまっさきに殺されそうになったのである。

現在の日商岩井（現・双日）は、鈴木商店の後身だが、この会社に、航空機疑獄事件の海部八郎《かいふはちろう》氏のような人物が出たのも、なかなか興味深いことだ。彼の行動の底にも、私心なき勢力欲があったのだろうか。

さて、このように、富だけを考えた階級よりも、さらに一般に威信、勢力をもあわせ考えたほうが、社会分析のために有力であることはいうまでもない。さらに安全、社会的居心地のよさ、文化享受などもあわせ考えれば、その社会分析は、よりいっそう有力なものとなる。

ここまでを準備として、ソ連の階級問題について考えてみたい。

世界一優雅な生活をしているソ連の特権階級

さて、ソ連に階級はあるか。階級を資本主義的意味における階級、つまり、生産手段を私有するか否かによって分けるならば、もちろん、ソ連に階級はないことになる。

しかし、資本主義社会と社会主義社会は、社会の法則性がちがうのだから、このような古典的な区分は無意味である。そこで、これまで述べてきたように、階級という概念をひろげて、威信や勢力まで含めた特殊な経済的、社会的利益を一般民衆より多く享受している人びとが存在するか、というぐあいに設問をおきかえてみると、ソ連にも立派に階級は存在する、といわなければならない。

ソ連の特権階級の頂点に、エリート階層がいる。これには、まず共産党、政府、軍などのトップからなる特権的支配階層があり、たいへんな名誉が与えられ、それぞれの分野において権力を独占している。そのほか、共産党好みのインテリ、芸術家、スポーツ選手などからなる上流階級もまたエリート階層というべきだろう。

これらのエリート階層は、経済的にもたいへんな特権を持っている。マルクス・レーニン主義の公式の立場からすれば、経済的な特権階級は廃止されたことになっている。だから、公式には、彼らといえども、経済的特権を享受することはできない。月給も一般大衆とそんなにかけはなれたものではないし、まして、生産手段を私有するなんてもってのほかだ。しかし、これにはちゃんと裏がある。

お金を持っていても物を買えるとはかぎらないソ連社会では、月給などいくら高くても、あまり意味はないのだ。これらの特権階級に対しては、手をかえ品をかえ、一般大衆が夢想もしないような現物給与が与えられる。要するに、彼らには、お金などあまり必要がないような仕組みになっているのだ。

たとえば、次官などのトップクラスの政治指導者ともなると、田舎《いなか》には広大な別荘、モスクワ市内には贅を尽くしたマンションが与えられ、通勤のためには、運転手つきのリムジンが与えられる。これがみんなタダなのだ。それだけではない。食料品もまた、クレムリン特価と呼ばれる値段で入手することができるから、五〇ルーブルから六〇ルーブルぐらいで家族全員の食費が足りてしまう。一般大衆が、四人家族でモスクワに一ヵ月生活しようとすれば、食費だけで二〇〇ルーブルはかかるのだ。

それだけではない。特権階級は、すべての消費財の購入において、とんでもない特権を持っている。ソ連の一般大衆は、品物がほしくても、すぐ手に入れることはできない。店の前に行列をつくって何時間も待たなければならない。買い物のための行列づくりは、ソ連大衆にとってはもはや生活の一部になってしまっている。行列にわりこむことなど、泥棒みたいなものだ。それでも、めったによい品物には当たらない。フランスのコニャック、イギリスのスコッチ、イタリアの靴やネクタイ、日本の電化製品など、どんなに行列しても高嶺《たかね》の花である。お金なんか山と積んでも無駄である。アメリカのジーンズやカラーシャツなど、若者のあいだにはたいへんな人気なのだが、それすら、入手するのは容易ではない。洗剤や針や糸のようなちょっとした生活必需品が、いつのまにかなくなっていて、何ヵ月も入手できないことさえ珍しくないのである。

ところがである。特権階級は、行列する必要もなく、安い値段で、どんな品物でも、いつでも手に入れることができる。まったく手品みたいな話だが、要するに、「共産党貴族の店」と俗に呼ばれる店があって、そこには、コニャックでもキャビアでもステレオでもチョコレートでも何でもある。ただし、この店で買い物することができるのは特権階級だけなのだ。

そのうえ、彼らには、専用の床屋があり、美容師がいる。クリーニングや仕立屋まで、一般大衆とはちがった特別仕立てである。自由にヨットを楽しむことができ、景色のよい黒海沿岸には保養地もある。音楽やオペラが特別席であることはいうまでもない。いたれりつくせりというか、これでもか、これでもかと特権が与えられるのである。

ソ連には、準エリート階層ともいうべきものもある。彼らの特権は、エリート階層には遠く及ばないが、大衆とくらべるときわだったものである。彼らの存在が、ソ連の階級対立とその矛盾を重層化し、拡大再生産しているといえるだろう。

ソ連の準エリート階層とは、企業や官庁の中間管理層、共産党の地方幹部、その他の勢力ある市民などである。ソ連における階級対立が激化し、エリート階層と一般大衆とのあいだの矛盾が露呈したとき、彼らはいったい、どちらの側に立つだろうか。どんな行動をとるだろうか。きわめて微妙かつ複雑なものとなるだろう。

出世の早道は、科学者、技師、新聞記者、共産党員

ソ連のエリート階層の特権は、資本主義国にもないような巨大なものだから、ソ連人のみんなが、これに加入しようとして必死になってもがく。では、そのための条件とは何か。簡単にスケッチしてみよう。

十五歳で、ソ連の人びとは選別される。六三の大学か、八〇〇の工業専門学校のいずれかに入学することが、将来エリートになるための最初の関門である。しかし、志願者のうち、五人に一人しか合格することはできない。

しかも、日本やアメリカのように、そしてドイツとはちがって、ソ連の高等教育機関にはたいへんな格差がある。だから、第一の関門をともかくも突破したということは、エリートになるための必要条件ではあるが、それだけでは不足である。なるべくよい大学に入らなければならない。日本の東大、京大にあたる特権大学は、モスクワ

大学とレニングラード大学である。この二校は、競争もとびぬけて激しいかわりに、エリート選出率もずばぬけて高い。

よい大学を出たあとで注意しなければならないことは、職業の選択である。いちばん確実なのは、物理学者か数学者になることである。世界的業績をあげればエリートの仲間入りを許される。とくに、原子物理学者と位相数学者が尊敬もされ、破格な待遇を受ける。その他の分野であっても、卓抜した科学者がエリートの仲間入りを許されないということは、ソ連では考えられない。とくに軍事技術と連関した分野の科学者は、西欧諸国以上に優遇され、もちろん、日本などとは同日の談ではない。なにしろ、国民総生産の三・四パーセントが科学研究費として使われているのだ（アメリカは二・二パーセント）。目下、アメリカの三倍ないしは四倍の比率で、若い科学者が育ちつつある。

しかし、科学の分野でよい業績をあげるには特殊才能がいる。数学や物理学を職業として選んでみて、才能がなければ目もあてられない。どんなに努力しても無駄なのだ。ここは、普通の学校秀才が来るべき分野ではない。

より確実なのは技師になることである。技師こそは、社会主義建設のにない手としてレーニン以来歓迎されてきた職業だが、それでも、あまり作りすぎた（アメリカの三倍から四倍は養成している）ので、最近はだぶついてきているようである。将来、エリートにしてもらうためには、単なる技師ではなく、きわだってすぐれた技師にならなければならない。

もう一つのぞましい職業は、新聞記者である。トップクラスの記者は、社会からも尊敬され、収入も多い。本職のほかに、フリー・ランスの記事を書いて収入をふやすこともできるのだから、こたえられない職業である。そのほか、普通のソ連人が望んでも得られない海外旅行のチャンスさえもある。ただし、言論の自由はないから、あまり大きな権力は持っていない。

権力がほしければ、政治をやることである。そのためには、共産党に入らなければならない。しかし、ここで注意すべきことは、共産党入党は、はたで見るほど、有利な職業選択ではない、ということである。現在では、共産党員は、約千六百五十万人いるが、その中でエリートになれるのは、ほんのひとにぎりにすぎない。他方、すぐれた科学者や文化人は、共産党に入党しなくてもエリートになれるのだ。効率からいえば、こっちのほうがいい。共産党に入党すると、なすべき義務はあまりにも多く、昇進は遅々たるものである。革命など昔の夢となりはてて、七十、八十歳になっても引退しない大ボスがわんさといるのだ。

ソ連の特権階級は〝世襲〟される

さて、このように見てくると、現在のソ連における階級・階層は、現代の産業社会に特徴的なものであって、資本主義社会と本質的にちがったところはない。こういうと驚く人が多いにちがいない。許すべからざる議論でそんなことをいう奴《やつ》は帝国主義の手先、いや頭目だといって怒る人もいるだろう。ソ連びいきのマルキストなら、こういって反論するだろう。ソ連の階級は世襲ではないから、これは資本主義社会における階級と根本的にちがうのだと。でも、ソ連における階級・階層を、資本主義国とくらべると、この反論は成立しないことが、すぐにわかる。

まず、資本主義諸国における階級・階層は完全に世襲か。資本主義社会における階層形成でもっとも重要なのは職業であるが、これは世襲ではない。教育と初職の選択と、その後の努力、決断、才能、すすんでは、ゴマスリ、賄賂《わいろ》などによって決定されていくであろう。この点、社会主義社会も資本主義社会も変わらない。威信、権力などは、いずれの社会でも、あまり世襲はきかぬものである。

では、金はどうか。資本主義社会においては金も生産手段も世襲される。この点こそ、社会主義社会と根本的にちがう点だとだれしも思うことだろう。たしかに十九世紀型の古典的資本主義社会においてはそうである。親が大資本家だと、子供は膨大な財産を相続する。どんなドラ息子でも、一生遊んで暮らせる。ここに、人びとは資本主義社会の矛盾を見てきたのであるが、現在では、あまりこんなこともないようである。何しろ、ベラボウな相続税をとられ、残った金も、インフレでみるみる目減りするのだ。

英米の古典的ミステリーに、相続人殺しというジャンルがある。自分より相続順位の高い人を次々に殺して、膨大な遺産を手に入れようというのである。しかし、こんなのは今の日本で、はやるわけがない。人を殺してまでも手に入れたいほど魅力のある相続財産なんて、あまりないからである。資本主義社会における財産の世襲も、これほど変わってきている。

これに対して反論もあるだろう。たしかに、昔とは変わってきつつあるとはいうものの、現在においても、資本主義社会には、財産の世襲はある。もっと重要なことには、親が特権階級だと、子供は、入学や職業選択に大きな便宜を受けるではないか。これは世襲とまではいかなくても、それに近い。東大なども、長年塾や予備校にやれるだけの資力のある家庭の子でないと入りにくくなっているし、代議士の〝世襲〟も年を追って盛んになっている。こんな傾向こそ、問題である、と。

しかし、同じ傾向は、今日のソ連にも見られるのである。そして、年を追ってひどくなりつつある。

すでに述べたように、今日のソ連では、よい大学を出ないとエリートにはなれない。そのためには、むずかしい入試に合格しなければならないのだが、学校の授業だけではおぼつかない。そこで親は、一時間五ルーブルも出して、家庭教師をやとわざるをえないことになる。二〇〇ルーブルで、一家四人の一ヵ月の食費がまにあうソ連のことである。こんな金が庶民に楽々と払えるわけはないではないか。

この点は、現在の日本にあまりによく似ている。そしてまた、日本と同じように、ソ連にも裏口入学がある。この点は、ソ連のほうが、もっと性《たち》がわるいといえるだろう。日本の裏口入学は私立大学の話である。法律違反ではなく、全部合法ではあるのだ。ただその心根がさもしいというにとどまる。ところが、ソ連の学校は国立だから、裏口入学は犯罪そのものであり、その金は正真正銘の賄賂だ。

ちょっと前のイズベスチヤ紙にこんな記事があったそうである。トムスクで予備校を経営している婦人が、生徒を裏口入学させたかどで懲役八年の判決を受けた、と。全国紙の記事になったこの事件など氷山の一角にすぎまい。彼女は、賄賂として、ミンクのコートからイチゴまでを受け取っていたといわれるが、このことから、いまソ連ではびこっている裏の経済の一環として、裏口入学が行なわれているだろうということがにおってくるのだ。おそらく、日本における私立医大の場合以上の裏口入学の組織があることだろう。いずれにせよ、賄賂を出せない親は、子供をよい大学に入れられないことになる。

ソ連がその機会均等を誇りに思い、全世界に宣伝している教育にして、すでにこのありさまである。就職ともなると、コネや賄賂やゴマスリは、はるかに効力を発揮する。それであるかあらぬか、エリートの子弟は有利な地位を得やすい。たとえば、ブレジネフの長男ユリは、昨年、わずか四十七歳で外国貿易省の第一次官になったし、グロムイコの息子のアナトリーは、一九七六年に、四十八歳で、ソ連学士院アフリカ研究所の所長になった。このことは、アメリカや西欧とくらべて、年齢のわりに昇進の遅いソ連としては注目すべきことである。その他、似た例はきわめて多い。

ソ連には、古典的意味の世襲はないにせよ、現在の日本程度の世襲類似現象は立派に存在するのである。

公認されない特権階級がもたらすのは何か

さて、ここで重要なことは、ソ連の特権階級がいかなる社会学的意味をもつ階級なのか、ということである。

第一には、それは、正式に認められた階級ではなく、あくまでも非公認階級であることであり、第二に重要なことは、市場機構《マーケット・メカニズム》を媒介とせずに人為的配分に基づく階級である、ということである。これらの二点において、ソ連の階級は、中世的階級とも、資本主義的階級とも根本的にちがっており、それ固有の矛盾を含んでいる。まず第一に、ソ連の階級は公式の階級ではなく、非公認の階級である。いったい、これは何を意味するか。

ソ連においては、エリート階級は経済的にきわめて巨大な特権をもっているが、資本主義社会におけるエリート階級と根本的にちがう点は、社会が絶対にこの事実を公認していないという点である。

資本主義社会においても、エリート階級は、同じようにきわめて大きな経済的特権をもっている。しかし、われわれの社会は、彼らがそうした大きな特権をもっているという事実を公認しているし、それを正当なものとしている。成功した事業家がどんな高級車を乗りまわそうと、どんな豪壮な邸宅を建てようと、それは自由なのだ。

プロテスタンティズムの倫理を媒介として発達してきた資本主義の精神に基づく社会では、経済的に富んでいるということ、すなわち、経済的エリートであるということは、隣人愛の実践という意味での自己の職業に十分に忠実であったということの証明であり、神の救済が得られた証《あかし》でもあり、たいへんに名誉なことである、とされる。

このように、特権的エリートであることが社会的に公認されることによって、ノブレス・オブリッジの意識が生まれる。ノブレス・オブリッジとは、特権を有するものは、それだけ大きな責任を社会に対して負う、という自覚である。自覚であるから、他人によって強制されたものではなく、その自発性はきわめて強く、誇り高い意識によって実行されることを特徴とする。

その一例が英国貴族である。イートン、ラグビー、ハローなどをはじめとするパブリック・スクールの教育のエッセンスは、まさに生徒に英国貴族としてのノブレス・オブリッジをたたきこむためのものであった。彼らは、ことあるごとに、平民とはちがうのだという意識をたたきこまれ、それを実行するようにしつけられた。その結果、彼らは、ふつうの人が逃げてしまうような危険をおかして、国のためにがんばるのである。第二次大戦のとき、スピットファイヤをかって、圧倒的に優勢なメッサーシュミットにたちむかったのも、じつに、彼ら英国貴族であった。

同じような例として、われわれは徳川時代における武士道教育を思いおこす。武士道教育のエッセンスは、一言でいえば、武士とは、百姓町人とは根本的にちがった人間であるという意識をたたきこむことにあった。この差別意識こそが、ノブレス・オブリッジを生みだす源泉であり、武士は、生活がどんなに苦しくとも、倫理的には百姓町人よりもはるかに上にあることが要求され、事実においてもそうであった。そして、これがあったからこそ、三百年もの安定が続いた江戸の幕藩体制は維持されたのである。

貴族階級におけるノブレス・オブリッジの存否、これこそ、その社会が存続しうるかどうかの重大な条件である、といっても過言ではない。

現在のソ連における特権階級が非公式の階級であり、それゆえに、特権階級の側にある種のうしろめたさがあり、責任の自覚を見失わせ、とうてい、イギリス、日本、ドイツのようなノブレス・オブリッジの気迫を育てることはないという事実、これは、ソ連社会が内蔵する大きな危険である。

日本に汚職が多い原因は、一高と東大の差にある

このことは、現代の東大生の意識と旧制高校生、とくに一高生の意識とを比較しただけでも、思いなかばにすぎることであろう。

一高生も東大生も、その実体においては、日本におけるずばぬけた特権階級である。この点は同様なのだが、一高生が天下の特権階級であることは、世間も認め、本人も自覚していた。このことは一高寮歌を一瞥《いちべつ》しただけでも、容易にわかることだろう。――栄華の巷低《ちまた》くみて――当時は、一高に入っただけで、天下を取ったような気持ちになったらしい。

ところが、現代の東大生はそうではない、大学はすべて平等であり、そこにはなんらの差別もあってはならないものとされる。これが一つの厳然たる風潮である。それにもかかわらず、東大生の特権は存在する。そこで、一種のうしろめたさの気持ちが蔓延《まんえん》し、東大生であることを誇示し、その特権を享受し、他大生を眼下に見下すということを公然と行なうことに、ある種のためらいを感ずるようになる。こんなことでは、本来のノブレス・オブリッジの意識は生まれまい。

国を自己の双肩にになって立つというノブレス・オブリッジの意識は、じつに、自

己の特権を正当なものと認め、これを一般に誇示し、世間もこれを認める、ということからはじめて発生するのである。

ノブレス・オブリッジを欠いた非公認特権階級からは、汚職意識しか生まれないであろう。特権階級の倫理規範は、ほどなく社会全体にみなぎるようになる。特権階級が大きな汚職をすれば、一般人民は小さな汚職をするようになる。そして、社会全体は、汚職のネット・ワークで結びあわせられてしまう。

このことは、現代日本のありさまを思いうかべると、思いなかばにすぎることであろう。政治家やその他の特権階級が汚職をすると、ジャーナリズムはさわぎたて、国民も一応はおこってみせる。しかし、要するにそれでおしまいなのだ。あんなことはだれでもやっていることだ。政治家が大きな汚職をすれば、国民の一人ひとりは小さな汚職をやる。

上は何億という首相の犯罪から、下は末端公務員の数千円の空出張にいたるまで、みごとな汚職のネット・ワークではないか。これは、その原因の大きな部分に、非公認の特権意識があるのである。この点は、日本もソ連も同じだ。

現在のソ連社会は、革命前にそっくりである

さて、ソ連の階層構成には、もう一つ、救いがたい致命的問題点がある。それは、富も威光（名誉）も権力も、みんなエリート階層が独占してしまっているということである。こんなときに、社会はいちばん危ない。

歴史的にみても、富も名誉も権力も、ひとにぎりの貴族が独占しているときに、かえって革命が起きやすいのだ。このとき、体制は外見上は威風堂々としているように見えながら、ひとたび群民が蜂起《ほうき》すると、いっぺんに倒れてしまう。貴族は何もかも独占してしまっているから、民衆のなかに協力者が得られない。だから、ひとたび革命がスタートすれば、手のほどこしようがないのだ。

フランス革命、ロシア革命、みんなこんなありさまであった。革命以前においては、体制はあまりにも堂々としているので、だれも革命が起きるなんて思ってもみない。革命がすでにスタートした時点においてすらそうなのだ。

一七八九年、ルイ十六世によって三部会が召集されたとき、その中には、ロベスピエールをはじめとして、フランス革命の立役者はみんなそろってはいたが、そのほとんどは忠実な王党であった。これが革命に発展するなんて、だれも思っていなかった。

ロシア革命のときもそうであった。ロシア革命が始まったとき、レーニンは、スイスにいて、生活にもこと欠くありさまであった。数ヵ月後、彼が革命の主役になるなんて考えた者はだれもいなかったろう。

ところが、フランスにおいても、ロシアにおいても、革命は、動きだすとたちまち、巨石が急坂を下るがごとく、フルスピードで回転を開始し、燎原《りょうげん》の火のように全国をおおって、何人《なんぴと》の力をもってしても止められなくなった。王朝も貴族も、あっというまに圧殺され、影も形もなくなってしまうのだ。

これに反し、ドイツでは、革命はなかなか成功しない。十九世紀においては、ホーヘンツォルレルンの銃剣とビスマルクの鉄血政策とによって苦もなく鎮圧されて、革命の前夜のようであったベルリンもたちまち保守反動の牙城となる。一九一九年の第一次大戦の敗戦のときですら、改革は中途半端なものとなり、ユンカーもブルジョワも、プロイセン将校団も、反革命勢力は全部生き残ってしまう。

これが日本になると、もっと徹底している。どうしても革命など起きようがないのだ。徳川三百年、社会は大きな矛盾をかかえ、一揆《いっき》や打ち壊しがどんなに激しくなっても、幕藩体制は、びくともしなかった。明治維新のときでさえ、徳川家も大名も貴族として生き残り、封建の余弊はその後も永く日本人を呪縛《じゅばく》することになる。

この大きなちがいは、どこから出てきたのだろうか。

革命前のフランスやロシアでは、富も名誉も権力も、貴族が独占していた。これに対し、一般民衆には、何もないのである。みごとなまでに、一元的な階層であった。

これに対し、日本やドイツでは、事情は根本的にちがった。

たとえば、日本の徳川時代である。この時代、富と名誉と権力を、まったく異なった階層が分有していたのである。簡単にいうと、富は町人、名誉は公卿、権力は武士である。徳川時代は武家政治とはいうが、その武士も、富ということに関しては、町人にくらべると、まことにあわれなものであった。大名の家老というほどの上級武士であっても、魚などはめったには食えない。月に数回といえばぜいたくなほうである。これに対し、ちょっと名のとおった店の番頭ともなると、二、三日に一回ぐらいは食えたそうである。しかし、威光（名誉）ともなるとまったく逆であって、三井、住友のような大財閥の当主といえども、公的な席においては、どんな下級武士よりも下である。まして、その使用人の番頭など、どんなに収入が多くても、食うのもカツカツの足軽と話すときでも、言葉遣いからあらためなければならない。要するに、富は町人、威光（名誉）は武士、なのであり、この二元性の原則は存立しつづけ、幕末にいたっても変わらなかったのである。そして、ある意味では、この伝統は今にいたるも生きつづけている。絶大な権力を持ちながら薄給にあまんじている高級官僚、陋屋《ろうおく》に住んでいる高名な学者などがその証人だろう。日本人はそれをあたりまえだと思っている。とんでもない。ソ連では、高級官僚は実質的にたいへんな〝高給〟であり、高名な学者は大邸宅に住んでいる。そして、この事実が、日本の社会の安定と、ソ連の社会の危機とを暗示しているのである。

現在のソ連社会は、革命直前のロシア、革命直前のフランスの状態とそっくりである。革命は終わったはずのソ連にとって、まさに歴史の皮肉である。いずれ臨界点に達するであろう民衆のエネルギーは、今後は、どんな社会を生み出すのであろうか。

2 ソ連的経営には致命的欠陥がある

ソ連経済は乗車拒否のタクシー

ソ連の経営、経済の問題を考えてみることにしよう。ここにおいても、現在のソ連は、致命的な欠陥を内包している。その証《あかし》として、汚職、ヤミ取引というものをとりあげてみたい。ここに、物とお金の関係という、経済のもっとも基本的な部分でのひずみを見ることができる。

ソ連にも、日本にも汚職、ヤミ取引はある。ただ、ソ連と日本とがちがう点は、ソ連においては、それが、汚職、ヤミ取引などという程度のものではなく、すでに一つの経済システムにまで成長してしまっているということである。

つまり、ふつうの意味における国民経済を一つの経済《エコノミー》とすれば、これは一つの反経済《カウンター・エコノミー》というわけだ、言いかえれば、表の経済と裏の経済と、経済が二つあって、それらが表裏一体となって作動してはじめて、ソ連人の生活が成り立っているということだ。上は党・政府のリーダーから、下は一介の労働者、農民にいたるまで、みなそうだ。裏の経済がなければ、ソ連人は一日といえども生活はできはしない。

それにもかかわらず、この裏の経済＝反経済は、存在してはならないものとされ、公式にはその存在は認められず、これに従事していたことが判明すれば、きびしく罰せられる。その存在が必要不可欠であるにもかかわらず、決して認められることのない反経済！　ここに、現在のソ連体制の最大の矛盾がひそむ。

では、なぜ、こうした反経済が発生したのか。次に、このことについて考えてみたい。

それは、結局は、ソ連といえども、経済的矛盾から自由ではありえない、ということである。ソ連は、資本主義経済の矛盾とは別の、そして、より深刻な矛盾に悩みつつあるのだ。

カール・マルクスは、各段階の社会は、それぞれ固有の経済的矛盾をもち、それによって世界史は進展する、と喝破《かっぱ》した。つまり、封建社会は封建社会なりの、資本主義社会は資本主義社会なりの経済的矛盾を内包し、それによって社会はゆり動かされ、やがて崩壊してゆく。これがマルクスの図式《モデル》なのである。彼は、資本主義社会についてまでこれを述べ、資本主義社会における経済的矛盾の展開と、それによる資本主義社会の運動法則については、実際にこれを分析してみせている。

私がここで主張したいことは、このことに関するかぎり、社会主義社会もまた例外ではない、ということである。〝資本制生産様式が支配的である社会の富は、膨大な商品の集積というかたちをとる。それゆえ、われわれの研究は、商品の分析からはじまる〟と。これは有名な資本論の書き出しであるが、資本主義社会における矛盾のそもそもの起こりは、この〝商品〟が二重性をもっていることだ。

商品は、一方においては使用価値であると同時に、それは交換価値でもある。換言すれば、商品は、一方においては欲求の対象であるとともに、他方においては、何円とか何万円だとかの価値を有していて、交換されうる、ということである。

ところで、使用価値がまったく個別的で特殊的なものであるのに対し、交換価値には個別性はなく、まったく一般的なものである。つまり、商品は、一方においては特殊的であるとともに、他方においては一般的でなければならない。この矛盾を解決するという要請から、交換価値一般をあらわす貨幣が生まれる。じつに、貨幣こそは、資本主義社会の権化《ごんげ》ともいうべきものなのだ。貨幣は、もちろん資本主義社会以前にも存在したが、それが十分に発達して本然の姿をとるようになるのは、資本主義社会においてである。

商品の一般的流通こそ資本主義社会の基本構成であり、貨幣は〝交換価値〟一般であるから、すべての〝商品は貨幣に恋をするようになる〟、そして、この〝恋路はなめらかではない〟（マルクス『資本論』第1巻）。

つまり、商品は売れ残るかもしれない、せっかく生産しても、それは売れないかもしれない、というところに、資本主義社会におけるすべての矛盾の原因があるのである。つまり、恐慌も不況も、倒産も、そして産業予備軍から貧困の発生、すすんでは資本主義社会の没落にまでいたるような資本主義社会におけるすべての困難は、すべてここに原因がある、とマルクスはいうのだ。

ここまでは、資本主義社会の話である。では、社会主義社会においてはどうか。社会主義社会においても、やはり、〝商品〟は存在する。〝商品〟そのものは、べつに資本主義社会固有のものではない。それは、封建社会やそれ以前の社会にも存在はしたし、社会主義社会においても存在しつづけるものだ。

しかし、同じく〝商品〟といっても、資本主義社会における商品と、社会主義社会における商品とでは、著しくその意味がちがっている。

まず、商品が交換価値であると同時に使用価値でもある。この原則は社会主義社会でも同じである。そして、これらのあいだの矛盾こそが、いわば経済における根源的矛盾であり、これを軸に、経済におけるいろいろな矛盾がひろがってくる、この論理もまた同様である。だが、ここから先がちがってくる。

まず注意しなければならないことは、同じように交換価値といっても、社会主義国経済においては、資本主義における場合とはちがって、〝一般性を有しない〟ということである。それゆえに、交換価値の指標である貨幣、〝お金〟もまた〝一般性を有しない〟。

〝貨幣が一般性を有する〟とは、貨幣さえもっていれば、いつ、どこで、だれからでも、どんな商品でも買える、ということである。資本主義社会における〝お金〟とは、まさにこんなものであり、そうでなければ、まさにスキャンダルである。

たとえば、タクシーの乗車拒否がきびしくとがめられるのも、この資本主義社会の大原則を否定するからだ。タクシーというサービスは、まさしく〝商品〟だから、いつでも、どこでも、だれにでも売らなければならない。これを拒否することは、まったく許されないはずだ。

ところが、この大原則も、資本主義社会以前の社会においては、必ずしも成立してはいない。たとえば、日本の封建時代、刀鍛冶《かじ》やその他の名人肌の職人は、いくら金を山のように積まれても、気がむかないと仕事をしなかった。また、その客がこの商品にふさわしい客でないと思えば、商品を売りわたすこともしなかった。つまり、貨幣は一般性を有しなかったのである。

ソ連経済の特色の一つは、日本の封建時代と同じように、貨幣が一般性を有しない、というところにある。つまり、お金を持っていても、それで必ずしも商品が買えるとはかぎらないのである。首尾よく、ある商品が買えるかどうかは、まったくもって〝運《うん》〟にかかっている。

〝すべて貨幣は商品に恋する〟ソ連経済

「現金をたくさん持ち歩かないといけない。ひざまでのブーツを七〇ルーブルで売っているのを見つけたとする。アパートに戻ってカネを取ってくるひまはない。そんなことをしたら、ブーツは売り切れてしまっている。」（『ロシア人』ヘドリック・スミス著、高田正純訳より）

このロシア女性の言葉からも明らかなように、ソ連では、貨幣と商品の立場が逆になっている。マルクスの資本論の叙述とは正反対に、ソ連経済においては、〝すべて貨幣は商品に恋をする〟、そして、この〝恋路はなめらかではない〟。ここに、ソ連経済における、すべての矛盾の源泉がある。

先進資本主義諸国では、現金なき社会《キャッシュレス・ソサエティ》に移行しつつあるが、ソ連においては、状況はまったく逆なのだ。人びとは、なるべく多くの現金を持ち歩くのが正しいとされる。そして、どこかで何かの〝行列〟をみかけたら、まず並ぶのだ。そこで何を売っているか、そんなことはどうでもよい。こんなにたくさんの人が並び、長い行列ができている以上、そこで売っているものは、所有する価値があるものに決まっているのだ。ソ連では、人びとは、その商品が必要だから買うのではなく、ともかくも持つ価値があると思うから買うのである。

なんという大きな時間とエネルギーのロス！　ここに、われわれは社会主義社会の大きな矛盾をみる。

この矛盾は、資本主義社会の次のような矛盾と対比してみるとおもしろいだろう。よく、資本主義社会においては商品を捨てることがある。せっかく長いあいだ丹精して育ててあげたキャベツを踏みつぶしたり、コーヒーを焼きすてたり、ということが行なわれる。ここで、もったいない、などといえば、それは、資本主義社会の論理を知らない者の言葉だといわれてしまうことだろう。

せっかく丹精したキャベツでも、一部分を踏みつぶして供給量をへらせば、それによってキャベツの価格はつり上げられるから、かえって、それによってもうけることができる。これが資本主義社会というものである。そして、人びとは、ここに資本主義の一つの大きな矛盾をみる。資本主義とは、なんとムダの多い、資源とエネルギーを浪費する社会なのだろう。

しかし、社会主義経済にも、やはり、その矛盾から派生する大きな浪費が存在するのである。

――ソビエトの生産大隊が一ヵ月で一四階（三〇〇室）のアパートを急造できると

豪語するのが好きだった。こうしたアパートは遠くから見ると、外見はいいが、実際には、入居直後にバラバラになってしまうほどひどいつくりである。つまりこれはソビエト建築全体の頭痛のタネで、即時老朽の犠牲である。床はデコボコ、窓と壁には割れ目――(『ロシア人』前出)

人の住めない豪華な新築アパート! ソ連の計画性の矛盾と、その非能率性、非生産性がよくわかる。そして、ここにも使用価値と交換価値との矛盾が、その根源的要素として顔を出してくるのだ。

技術革新をはばむ目方ノルマ制

それは、こういうことだ。ソ連の企業におけるノルマは、量にあって質にはない、ということだ。そして、もっと重要なことは、消費者の好みに関しては、まったく責任を負う必要はない、ということである。

この点で、資本主義社会における企業とは根本的に意味がちがっている。資本主義経済においては、企業の最終的責任とは、消費者、つまりお客に対して負うべきものである。お客様は神様でございます、というが、資本主義社会においては、まさにそうなのである。お客様のほうは、要するに何をしても、何を買っても買わなくても、まったく勝手。これに対して、企業のほうでは一言の申し開きもできない。すべて客の好みを読みそこなって商品が売れなくても、客には責任は少しもない。すべて企業の責任である。こんな立派な自動車を一台も買ってくれない、ああ、なんという馬鹿な客だろう、こんなことをいくらいってもはじまらない。企業は倒産するよりほかはない。資本主義社会では、このメカニズムによって、いわゆる消費者主権が確立され、消費者は好きなものが買えるとともに、市場は全体として能率よく作動することになる。

ソ連経済には、このメカニズムがないのである。要するに、なんでもいいから多量に生産した者が評価されるのだ。そして、多くの場合、この量とは目方によって計られる。だから、資本主義的生産を見慣れた目で見ると、ずいぶん変なことも起きる。たとえば、機械や事務機器など、軽くて同じ機能をするものができれば、そのほうがよいにきまっている。ところが、ソ連のように、目方によってノルマが評価されるとなると、事情はまったくちがってくる。

軽い機械は、少量しか原料を使用していないから、それだけ生産量は減少したと評価される。だから、ノルマは、より低くしか達成されていないとされる。工場としては、それでは困るから、軽い機械は、生産はされず、より鈍重で、生産性の低いものが作られることになる。

このことから明らかなように、ソ連の企業においては、技術革新はきわめて行なわれにくいことにならざるをえないのである。

技術革新の目的の一つは、省エネルギーということだ。より少ないエネルギーと原料で同じ商品が生産されれば、事情は改善されるに決まっている。ところが、そう考えるのがすでに資本主義的なのだ。資本主義社会でなら、このような技術革新はコストを低下させるから大いに歓迎されよう。

ところが、社会主義国ではそうではない。より少ないエネルギーと原料しか使用しないということは、とりもなおさず、それだけ少量のノルマしか達成されていないことになる。このような技術革新は、企業にとって歓迎すべきものであるどころではなく、まさに呪《のろ》わしきものとしておくら入りにならざるをえないのだ。

倒産なき社会の恐るべき非能率

消費者の需要を洞察するとなると、ソ連の企業は、なおいっそう鈍重になる。すでに述べたように、ソ連経済においては、〝貨幣が商品に恋をする〟のだから、ともかくつくれば何でも売れるのだ。消費者の好みなど考える必要がどこにあろう。資本主義社会では、サービスは商品の重要な部分を構成するが、ソ連においては、サービスなどは、結局、どうでもいいことにならざるをえない。

このような事情のせいで、ソ連の企業には、企業の効率の最終的保証者である〝倒産〟という制度はない。これがなければ、いくら競争原理をとり入れたからといって、それは決して最大効率を生みだすことはないであろう。

資本主義的企業における最終的責任の取り方は、倒産である。これで何もかもパアになる。消費者の好みを読みそこなった企業、経営において十分な効率をあげえなかった企業の経営は悪化し、最悪の場合には倒産することになる。倒産によってより悪しき企業は市場から退場する。こうして市場の合理性は保持されるのである。

それであればこそ、資本主義社会においては、企業の全努力は倒産をしないことに集中される。どんな伝統のある企業でも、名声のある経営者にひきいられる企業でも、倒産の危険のない企業はない。そして、倒産してしまったら、その理由を問わず、もうおしまいである。

社会主義的経営においては、たとえ競争原理があるとしても、倒産がないということは、その実質的内容において、きわめてのんびりしたものとならざるをえない。

このようにのんびりした社会主義的経営は、すでに述べたような技術的革新と合理的効率化の拒否とあいまって、社会主義的企業をして、資本主義的企業との太刀打ちなど、思いも及ばないものとしてしまったのである。

3　中世的意識のままのソ連労働者

産業社会の労働には、二つの要素がなくてはならない

これまで述べてきたような経営的特徴を反映して、ソ連の労働者の労働態度もまた、資本主義社会のそれとくらべると、著しく劣ったものとなっている。

そもそも資本主義経済の労働の特色は、その一様性と規律性とにある。前資本主義時代とはちがって、労働者は働きたいときにやってきて、勝手に働けばよい、というものではない。一定の決められた時間と規律とに従って、プランどおりに働く。

気違いのように働いたり、勝手に休んだり、ムラがあってはならないのである。そうでなければ、企業は、労働を合理的に組織化し、効率的に使用することができない。ところが、ソ連の労働者には、この規律性と労働力投入の一様性がみられないのである。

「だれもが働いている以上、こうした事情は全国民がよく知っている。というわけで、ふつう家庭用品を買うとき、その製品が月の十五日以前に製造されたという証明のあるものを買おうとする（ソビエトの品物には生産日時を示すラベルがついている）。もし、その品物が十五日以前につくられていれば、あわててつくられたものではないことがはっきりしている。客は〝たぶん、これなら動くだろう〟と考える。十五日以後だとすぐにこわれる可能性が高い」――彼は十七歳のとき、年長の労働者から旋盤の操作を教わった際、どうしてもっと早く操作できないかとたずねた。「できるけど、そのことは黙っている。来月からノルマを改訂されないよう、わざとゆっくりやってるんだ」（『ロシア人』前出より）

これでみると、ソ連の労働者は、社会主義的であるというよりも、むしろ前資本主義的にみえる。換言すれば、前産業社会的なのだ。

このことを理解することは、ソ連経済を理解する一つの鍵になると思われるので、少しくわしく説明しよう。

マルクスの学説によれば、社会主義経済は、資本主義経済の後にくることになっている。ソ連は社会主義の最たるものだと考えられている。しかし、ソ連の労働者の行動様式《エトス》は、資本主義社会以前のものである。

これは、いったいどうしたものなのだろう。

ところで、産業社会という言葉を使ったが、これは、資本主義社会と社会主義社会とを一括したその上位概念、つまり、より一般化した考え方である。マルクスをはじめとする社会主義者の説を聞くと、社会主義経済と資本主義経済とは根本的にちがう、という。つまり、彼らは両者の相違点を強調するのである。

もちろん、そういう側面も重要であるにはちがいないが、他方、資本主義社会と社会主義社会とは多くの共通点をもち、それ以前の社会――これを前産業社会という――とは、多くの点において著しく異なっている。

そこで、産業社会として社会主義社会と資本主義社会とをひとまとめにして考え、前産業社会と対比させながら分析するという視点も、重要になってくるのである。

では、産業社会の特色は何か。それは、

(1)労働力が、特定の目的達成のために、合理的に組織化されていること

（2）労働の行動様式《エトス》が確立していること

であり、このことこそ、産業社会をそれ以前の社会から決定的に区別する点なのである。現代のソ連にはこれが決定的に欠如している、とこれから述べるのだが、それにさきだって、これら二点について明らかにしておきたいと思う。

生産性が倍になると、半分しか働かなくなる人びと

労働力が、特定の目的達成のために合理的に組織化されていること、このことこそ、産業社会が成立するための必要条件である。前産業社会では、多くの場合、労働者は伝統的生活を保持するために働くのであり、特定の目的達成のために働くのではない。

こんな話がある。アメリカの有名な経済学者、アルヴィン・H・ハンセン教授がインドへ行って、あるコミュニティの改革にたずさわったことがあった。彼の努力によって、生産力は二倍になった。そこで彼は、このコミュニティ住民の生活水準はおそらく二倍になるだろうと考えた。アメリカ人ならば、当然の考え方である。ところが、そうではなかった。翌年、彼がもう一度行ってみてびっくりしたことには、このコミュニティの生活水準は、もとのままであった。びっくりしたハンセン教授がよく

調べてみると、なんと彼らは、半分しか働かなくなったのである。

このように、前産業社会における労働者の関心は、伝統的生活水準を維持することにのみあり、効用の最大にはない。

こんな労働者を、企業の利潤最大のために合理的に組織化することは至難の業である。こんな労働者は、伝統的な好みに応じて、ともかくも働きこそすれ、企業トップの命令一下、アセンブリー・ラインにならんで、その労働力を合理的に組織して、与えられた目的達成のために突進するということは考えられないであろう。

ところが、産業社会においては、労働者の合理的組織化がなされ、企業利潤の最大化をめざすことが可能だ。それが産業社会の大原則なのだ。

これは、もちろん資本主義社会の話だが、事情は社会主義経済でも同じでなければならないはずである。社会主義経済でも、労働力は合理的に組織化され、特定の目的達成のために用いられなければならない。この点では、資本主義社会とまったく同様である。

ただ、資本主義とちがう点は、資本主義の場合には、組織の主体が私的企業であり、その目的が利潤の最大化であるのに対し、社会主義の場合には、組織の主体は国家であり、その目的は与えられたノルマの達成である点である。両者のちがいは、これにつきる。他はまったく同じであるはずなのだ。

働くことが尊敬されない社会の労働者たち

次に、労働の行動様式《エトス》の話をしよう。

ここにいうエトスとは、じつは術語《テクニカル・ターム》であり、説明を要する。エトスとは、簡単にいえば、行動様式と、それをささえる心的態度のことをいう。倫理と訳されることもあるが、それよりも、もっと広いのである。もちろん、エトスは、倫理をその特殊場合として含むのであるから、時と場合によっては、倫理という意味で使用されることもある。ここでは労働のエトスの確立の話をするのだが、このさい、とくに重要なことは、〝労働の規範化〟であるので、これを中心に話をすすめたい。

〝労働の規範化〟とは、人間活動のなかで、「労働とはたいへんよいことで、いちばん重要なことだ」と認識され、いかなる労働をするか、ということによって、人間が評価されるようになることをいう。

といえば、こんなことは、あまりにもあたりまえのことで、今さらことあらたまって主張する必要のないことだ、と思うだろう。ところが、これがあたりまえなのは、じつは、資本主義や社会主義などの産業社会での話であって、それ以前の社会においては、必ずしもそうではないのである。

社会主義社会においては、労働は神聖なりといい、働かざるもの食うべからず、という。資本主義社会においては、いそがしい人、ビジネスマンは尊重され、ひまな人というと、けなし文句である。人は、その従事する職業によって評価され、ある人の威信とは、じつは、その人の職業威信にほかならない。

私の友人にこんなのがいた。彼は大金持ちで絵かきである。絵のほうはたいしたことはないが、それでも一応は芸大を出ている。たいへんなプレイボーイでもある。職業はというと高校の教師。ところが、教師の給料など一晩でのんでしまう。それほど彼は金持ちなのだ。それならば、いっそのこと、教師などやめてしまってプレイに専念したほうがよさそうだが、そうはいかない。いくら金を持っていても、なんの職業にもついていなければ、世間で相手にされない。おつきあいをしようにも女の子が寄ってこないそうである。

これが産業社会というものである。アメリカでも同様であろう。ところが、前産業社会的エトスが残っているラテン・アメリカとなるとそうではない。

メキシコやブラジルのプレイボーイともなると、日本やアメリカなどでは想像もできない本格派だ。親父が一生かかってためた金だ、おれは一生かかって使ってやるとばかり、何の職業にもつかず、朝から晩まで遊び暮らす。日本やアメリカなら、こんな人間はたちまちだれからも相手にされなくなってしまって、早晩、遊びにもこと欠くようになってしまうのは必至なのだが、そこはまだ労働のエトスの確立していないラテン・アメリカのこと、これでも、いっこうにさしつかえはないのである。なにしろ金はあるし、だれにも迷惑のかかることではない。けっこう、人びとの尊敬をあつめ、女の子にはすごくもてる。

本質的にいって、メキシコ人などこの類だろう。メキシコに行って驚くことは、何もかもアメリカ資本に占拠されてしまっていることだ。着てるものもアメリカ製なら、食料品もアメリカ製、自動車も家も、レジャー施設も、勤める会社もアメリカ系、そんなありさまだから、日本人だったら、とても我慢はできない。悲憤慷慨《ひふんこうがい》して、アメ公出てゆけと、あばれることだろう。ところが、メキシコ人はいっこうに平気なのである。

いわく、アメリカ人て、なんて非文化的なあわれな人種なんだろう。あんなに、朝から晩まで働いて、それで何になるんだろう。それにくらべるとメキシコの文化は高い。テキーラ酒でもたのしんで、興がのれば一晩中おどり狂う。きれいな女の子がいれば窓の下でギターをひく、これが文化じゃないか、と。

日本でも、平安時代においては、美の追及が最高の人間活動であり、労働などは、いやしむべきものとされていた。兼好《けんこう》法師にせよ、鴨長明《かものちょうめい》にせよ、その生活基盤が何であったか、いまだに判明しないのであるが、そこが、みやび人のよい点だとされた。すなわち、ビジネスマンでなく、アイドルマンが人びとの理想であったのである。

西洋社会においても事情は同様であって、プラトンの共和国においては、人間活動のうち最高のものは、〝哲学をすること〟、思索にふけることであり、次は、戦争をすることである。労働は、たかだか第三位にすぎない。

これが中世になると、人間活動の最高のものは〝祈ること〟になる。これは、日本も西欧も変わらない。カトリック修道院のように、〝祈り、かつ働く〟ということが規範化されることはあっても、それはむしろ例外である。カトリックの場合には、修道院の中と俗人とでは、その守るべき規範のうえで著しいちがいがあるのを常としていた。修道院の中の労働のエトスが、世俗的禁欲として修道院の外に持ち出されるのは、マックス・ウエーバーも論じているように、プロテスタンティズムの倫理を媒介としてであった。

さて、このような労働のエトスが成立すること、これが産業社会成立の必要条件である。とすれば、ソ連における労働のエトスは、中世的、前産業社会的といわざるをえないし、そんな労働者によって真の産業社会がつくれるわけがない。

この節の最後をいささか皮肉な言葉でしめくくろうと思う。それは、ソ連がマルクス主義の国になったことは、日本にとって、たいへん幸せなことだったのではないか、ということだ。巨大な国土、資源にめぐまれた彼《か》の国は、本来、日本の産業のたいへんな強敵のはずなのに、みずからの内部矛盾により、その潜在力をまったく生かせないからだ。

4　農奴意識から脱けきれないソ連農民

例外的に成功した私営農場の意味するもの

次に、ソ連の農民について考えてみたい。モスクワからちょっと離れると、そこはもう、近代文明からかなり隔離した農村地帯である。生活様式がころりと変わってくるのだ。

レーニンは、共産主義とは電化である、といった。だから、ソ連農村にも電灯はある。しかし、水道がないところは多い。下水道なんて論外だ。道路は泥んこ道だ。食事もそまつだ。私の知り合いのカメラマンは、その食事を撮影したいと願い出たが、ついに当局の許可がおりなかった。それほどそまつだ。大学進学率は、都市部よりははるかに低い。自国のバレエが世界一といっても、見たことのある人はほとんどいない。農業そのものも、ほとんど、昔ながらの人手にたよっている。トラクタやコンバインは、あっても故障していることが多い。

都市労働者と農民との著しい格差、これこそ、現代ソ連経済に関するもっとも印象的な現象である。たんに生活様式と文化享受の程度においてかけ離れているだけではなく、すでに所得において大きな格差がみられるのだ。

このことをもっともよくあらわしているのが、農村から都市への脱出である。こんなことを放置すれば、ソ連経済は、農村労働力不足のため、いずれ崩壊せざるをえなくなることだろう。ソ連当局は、この脱出防止のために必死なのだが、やみそうもない。

都市・農村間の大きな落差を考えるとき、この脱出を完全に防止することは、よほど困難なことに思えてくる。

さて、ソ連の農村には三種類ある。（1）国営農場、（2）集団農場、（3）私営農場、この三種類である。

ここで注意すべきは、私営農場である。これは、全体の面積としてはわずか一パーセントにもみたないものでありながら、その所得においては、なんと全体の二七パーセントにもおよぶ。

とくに、高級農作物では圧倒的な強みをみせている。たとえば、タマゴの四七パーセント、牛乳、食肉の三四パーセント、じゃがいもの六二パーセントは私営農場の産物である。

もう一つ重要なことは、私営農場は天候の変化などの災害に対してきわめて強いことである。このことは、ソ連農業、つまり国営農場と集団農場が、気候その他の災害にきわめて弱く、それらに左右される度合いが大きいこととあわせ考えると興味がある。

私営農場は、その原理においては、社会主義計画経済とは水と油のように、まったくあいいれないものである。しかも、現在のソ連農業においては例外的に成功した部門であり、ソ連経済は、これなくしてはやってゆくことはできない。理念的には否定したものにたよって生活しているのだ。ヒモの生活に似ている。

ファーマーよりペザントに近いソ連農民

ソ連農業に関して重要なことは、ソ連においては、農業は他の産業とは異なった原理によって運営され、農民は、所得において、またエトスにおいて都市住民とは異なっており、社会的に差別されているということである。これは、典型的に前産業社会的現象であり、近代資本主義が成立すれば、このようなことは決してありえないのである。

産業社会においては、農業もまた多くの産業のうちの一形態にすぎず、その経営様式において、また、そこに従業する農民のエトスにおいて、他の産業とくらべて、とくに変わったところはないはずである。また、あってはならないのである。

農民という言葉を英語にすると、ペザントとファーマーという二つの単語にでくわす。両方とも農民にはちがいないのだが、意味はまったくちがう。

ペザントとは、前近代的な農民であって、伝統主義的に土地にしばりつけられていて、彼らのいとなみは企業ではない。そこで働く者も、いわゆる労働者とは意識も実態もちがっている。

これに対し、ファーマーとは一種の企業家である。地主から土地を借り、労働者をやとい、資本を投下して農業経営を行なう。彼は一種の資本家である。単に資本の投下先が農業であるというだけのちがいであって、本質的には工業資本家と少しも異なるところはない。また、彼にやとわれる労働者も、労働の内容が農業であるというだけのことであって、その本質において、工業労働者と少しも異なるところはないのである。

そして、現在のソ連の農民は、ファーマーよりも、むしろペザントに近い。

近代的経営の特色は、それによって著しく生産力が高まることである。マルクスは、資本主義社会の富について言及して、〝膨大な商品の集積〟といったが、それは、近代資本主義的経営の成果である。もちろん、近代社会の技術面の功績もあるだろうが、この経営的組織的特徴にこそ、大きな注意をはらわなければならない。この意味において、産業革命は、近代資本主義発生のための、原因というよりも、むしろ結果ではなかろうか。

英国を旅行して驚くことは、その四通八達した運河網である。運河をつたわって、英国中どこへでも行けるほどである。なぜに、こんなに多くの運河があるのか。その理由は、英国では鉄道の発明以前に資本主義経済が発足したからである。

ひとたび資本主義経済が成立すれば、たとえ技術は以前のままであっても、そのすぐれた組織形態のために生産力は飛躍的に増大する。そこには、〝膨大な商品の集積〟がみられるであろう。それをスムーズに流通させるためには、どうしても馬車では足りなくなってくる。そのために、全英国をつつみこむほどの運河が必要となってきたのである。

鉄道の発明も産業革命も、このような産業社会の要請から生まれてきたものなのだ。

このことは、アメリカ資本主義の発展期におけるエジソン的人間の役割を考えただけでも、思いなかばにすぎるであろう。

以上の準備のもとに、私がここでいいたいのは次のことである。すなわち、農業の生産性が高いか低いかということは、技術の問題というよりも、その組織形態によって決定される。もちろん、農業技術の高低は重要な問題ではあるが、高い技術を有効に導入するかどうかという問題からして、すでに組織の問題であろう。

このことは、現在世界でいちばん生産性の高い農業はアメリカのミシシッピー河流域の農業であり、また日本の米作が、著しい労働力の流出にもかかわらず、かえって生産性を高めていることなどを見ただけでも、容易に理解できる。

これらのことを考えあわせると、現代ソ連農業の不振は、その前近代的、前産業社会的な経営形態にあると結論づけられるだろう。

ロシアはもともと穀物輸出国であった。ヨーロッパ諸国はオデッサ港からつみ出される穀物であふれていた。それが現在のていたらくである。天候不順のせいではない。革命が天候までを変えるわけがない。だいいち、私営農場だけが天候の影響をうけないというのは不思議ではないか。

ソ連のネックは農業である、といわれる。たんに一時的な穀物不足というだけのことなら、輸入すればいい。しかし、その背後に、ソ連のシステムそのものの不合理性、農民の意識のどうしようもない前近代性がある。とすると、国そのもの、農民そのものを輸入しないと解決なんて及びもつかないことになる。

5　マルクス主義はユダヤ教

マルクス主義が革命思想でなくなったときソ連が滅ぶ

最近のソ連および東欧諸国におけるイデオロギー危機は、じつに深刻なものがある。つまり、マルクス主義が、イデオロギーとしての魅力を完全に喪失してしまったのだ。このことは、社会主義諸国が経済的に完敗したこととあいまって、マルクス主義をして、その本来のものと反対なもの——つまり、革命思想ではなく、日常化した魅力のないものにしてしまっている。

今日の若い人は、マルクス主義といっても、教科書の片すみに出てくるもろもろの思想の一つだと思い、それが革命思想であるとは容易に理解できないであろうが、戦前といわずとも、高度成長以前においては、マルクス主義といえば、代表的革命思想であった。

もとより、ソ連ではマルクス主義は体制化してしまっているから、もはや革命思想ではありえないが、本来、それは強烈なイデオロギーであり、そうあるはずであった。もし、マルクス主義が革命イデオロギーであることをやめてしまったならば、ソ連を前進基地として世界革命を推進することは、とうてい不可能であろう。

ここでちょっと断わっておくが、ソ連は、ふつうの国家とはちがうのである。それは、建て前上は、やがて来たるべき世界革命のための基地であるべきであり、革命は、一国やソ連圏の数国にとどまるべきではなく、全世界にひろめるべきものなのである。

もっとも、この点に関しては、世界革命か一国社会主義かをめぐって、トロツキーとスターリンとのあいだに大論争があり、一国社会主義を主張するスターリンは、世界革命を主張するトロツキーを追い出して、メキシコで殺してしまう。

とはいっても、もちろん、スターリンといえども、世界革命そのものに反対だというわけではない。それを達成するための方法論において、トロツキーと意見を異にしただけだ。つまり、いきなり世界革命を成功させることは困難だから、まず、ソ連一国における社会主義的建設を成功させて、十分に力をつけてから、ソ連を基地として世界革命をおしすすめようというわけだ。

その後、フルシチョフによるスターリン批判、さらにフルシチョフの失脚などがあったが、この点に関するかぎり、原則的には、絶対に変更のあるはずはない。こういうわけだから、ソ連国民は、かたくマルクス主義のイデオロギーを信奉し、世界革命のために情熱をもやしつづけなければならないはずである。そうでなければ、世界革命など、できっこないのである。いや、もしそうでなければ、ソ連一国の維持、発展さえ不可能なはずだ。

そもそも革命とは、そう甘いものではない。歌の文句ではないが、よろこんで牢獄《ろうごく》に入り、笑って絞首台にぶらさがる覚悟がなければ、革命の達成はおぼつかないのである。しかも、この覚悟のほどは、マルクス主義がイデオロギーとして、人びとの情熱をかきたてるものであってはじめて可能なのである。

このことを考えると、最近のソ連やソ連圏諸国におけるマルクス主義のイデオロギー性、つまり宗教性の喪失ということのもつ意味は、いくら強調してもしすぎることはない。この章では、そうした問題についてふれることにしよう。

マルクス主義は宗教である、といわれる。では、いかなる宗教か。世界に宗教は多く、ひとつひとつその性質がちがっている。だからいちがいに、マルクス主義を宗教だといっても、そのままでは、あまり意味はない。これからこの点を研究してみよう。

いうまでもなく、マルクス主義は無神論であり、宗教をアヘンであるとし、階級抑圧の手段であるとして、強くこれを排撃する。ところが、ソ連においても東欧諸国においても、宗教はいっこうになくならないのである。

ポーランドなどは、住民の九〇パーセント以上がカトリックであり、しかも、その大部分は敬虔《けいけん》な信者である。現在のロシアにおいても、生まれてくる子の五〇パーセントは洗礼をうけるといわれ、宗教は、なくなるどころか、若い人のあいだにますます盛んになってきている。これでは、宗教は無知な人びとのあいだの迷信であって、科学教育が進むにつれて、しだいになくなってゆくものだという公式はあてはまりそうもない。

さて、ソ連にとって、いちばんの大問題は、マルクス主義自身が、これから説明するように一種の宗教であり、しかも、現在、その宗教性を失いつつあり、逆にふつうの宗教がますます盛んになってゆき、マルクス主義にとってかわるということである。これは、ソ連という国そのものの否定につながる。

ここに、現在ソ連のイデオロギー問題、宗教問題の深刻さがひそんでいる。

唯物論は宗教ではないというのは日本人だけの誤解

世界には、じつに多くの宗教があり、宗教という言葉は、多くの意味に使われているので、宗教とは何か、ということについて、まず明らかにしておきたい。

日本人の宗教観は、世界にも特異なものであって、これと合わないような宗教などは、世界中にいくらでもある。日本人は、宗教とは死後の世界の面倒をみるものだと思っているし、また、御利益《ごりやく》があるのがよい宗教であると思いこんでいる。世界の宗教において、はたしてこのようなことが、一般にいえるのであろうか。

まず、死後の世界ということについてだが、こんなことに無関心であり、死後の世界のことなど、まったくふれていない宗教は、世界中にいくらでもある。まず儒教である。

儒教においては、死後の世界のことなどまったく語られていない。弟子が孔子に、死後の世界のことについて質問した。孔子が答えていうには、「いまだ生を知らず、いずくんぞ死を知らんや」と。つまり、われわれは、いまだ生に関してすら知らないことがたくさんあるのに、どうして死後の世界などについて考える余裕があろうか、というのである。

儒教は、徹底した現世宗教である。儒教における救済とは、礼楽《らいがく》（政治制度）を整備して、現世においてよい政治を行なうことにあり、来世における魂の救済など、どうでもよいのである。だから、神などというものは、敬してこれを遠ざけるものとされ、社会生活において、あまり重視されない。そういうわけだから、超能力、奇跡のたぐいも、儒教においては、軽視されてしまう。

孔子は「怪力乱神を語らず」といわれる。妖怪や超能力のことなどいっさい語ったことはなかったといわれる。こんなことは、まともな人間が関心をもつことではないと儒教では考えるのだ。これらの意味において、儒教は、徹底的に合理化されていた、といえよう。儒教は現世宗教であり、唯物論だといっていえなくもない。

このように、来世のこと、死後の世界のことなどに、まったく関心を示さない宗教もあるのである。いや儒教は特別だ、儒教などは宗教ではない、という人もいるかもしれないが、それならば、ユダヤ教はどうか。

旧約聖書のどこを読んでも、決して、来世のこと、死後の世界のことなどでてきはしない。旧約の神はおそるべき神であり、人間が神との契約を破ったらさいご、これをきびしく罰してやまないが、この場合、神の最高の罰は死であり、それ以上の罰はない。死後、地獄におとされるだとか、魂を神がいじめたとか、そういう記述はいっさいない。

また、ユダヤ教における神の救済とは、すべて、現世における救済であって、死後、魂が極楽にいったなどという話は、いっさい記されていない。つまり、ユダヤ教もまた徹底した現世宗教なのである。この点に関するかぎりにおいては、ユダヤ教と儒教とは、同様であるといってよい。

では、仏教やキリスト教はどうか。これらについて、日本人は、あまりにも誤解している ようである。

仏教の場合、重要なことは、悟りを開くか開かないかであって、生きていても死んでいても、悟りを開いた人は仏、悟りを開かなかったらもうダメなのである。死んだ人が自動的に仏になれるものでは決してない。そう思いこんでいるところに、日本人のどうしようもない誤解がある。

キリスト教の場合には、死は一種のモラトーリアムである。死んだ人は、未決囚みたいなものであって、墓の中で最後の審判を待つ。こういうわけだから、俗流に解釈されたものではなく、その本来のものについてみれば、仏教やキリスト教だって、来世の世話をするのが主目的であるといいきってしまうことには、問題がありそうである。

では、宗教とは何か。これを、マックス・ウエーバー流にもっとも広く考えて、エトスのことといったらどうだろう。

エトスとは、前にも述べたように、行動様式とそれを背後から支える心的態度のことをいう。たんに、行動様式のことだと考えても、大過はない。倫理だと考える人もいるが、これだと狭すぎる。倫理規範だけではなしに、もっと一般的に、行動様式一般をさすのである。

このことは、日本人にはたいへんわかりにくいだろう。日本では、宗教がちがっても、行動様式は変わらないからである。日本では、その人の行動様式をみただけでは、神道なのか、仏教なのか、キリスト教なのか、儒教なのか、無神論者なのか、まったく見当はつかない。みんな同じようにふるまっている。

ところが、欧米などの、日本以外の国においては、宗教を異にすれば、風俗、習慣、規範などすべてちがってくるのである。生まれてから死ぬまで、教育にせよ、結婚にせよ、葬式にせよ、みんなちがってくる。したがって、異宗教の人びとが生活を共にすることは、困難を極める。

今日でも、宗教裁判所というものがあるが、これは、異端審問所のことではない。習慣、風俗の異なった人びとのあいだのトラブルをさばく裁判所のことである。ことほどさように、宗教を異にすれば、行動様式をまったく異にしてしまうのだ。

だいいち、食生活からしてすでにちがう。たとえば、ユダヤ教には明文化された食物規制がある。同じくキリスト教といっても、カトリックとプロテスタントでは、また、プロテスタントといっても、宗派を異にすれば、宗教的儀礼が異なってくるのだ。だから、宗教を異にする人とは、まず結婚はできない、と考えたほうがよいだろう。

宗教を異にすれば行動様式を異にする。これが、欧米や中近東ではふつうのことである。マックス・ウエーバーは、ここに着目して、行動様式《エトス》をもって宗教と定義するのである。

さて、このように宗教を広く定義すると、ユダヤ教、キリスト教、回教、ヒンズー教、仏教、儒教、道教など、われわれがふつう宗教と呼んでいるものがすべて宗教の中に入るだけではなく、イデオロギーや思想なども宗教の中に入ってくる。これらは、すべて行動様式《エトス》を形成するからである。

そうなれば、マルクス主義もまた、立派な宗教である。

マルクス主義はユダヤ教とそっくりである

では、マルクス主義は、これを一つの宗教とみるとき、いかなる宗教であろうか。

マルクス主義は一種の宗教である、とは多くの人びとが強調している。しかし、では、それはいかなる宗教か、ということに関しては、まだ、あまり解明されていない。しかし、このことを解明することこそ、現在のソ連の状況、ひいては、ソ連の行動予測のために決定的に重要であると思われるので、まず、このことについて考えてみたい。

一言で結論をさきどりしていえば、マルクス主義の宗教社会学的構造は、ユダヤ教とそっくりなのである。

かつて、バートランド・ラッセルは、資本論の論理とカルヴンのキリスト教綱領の論理の類似性を強調して、プロテスタントとマルキストの双方の顰蹙《ひんしゅく》をかったが、私の意見によれば、マルクス主義は、むしろ、ユダヤ教にそっくりなのである。では、どの点が、どうそっくりなのか。

まず、ユダヤ教における救済ということについて考えてみたい。すでにちょっとふれたように、ユダヤ教における救済とは、来世において、魂を救済してもらって極楽にいれてもらうことではない。現世における救済なのである。

では、その現世における救済とは、どういうことか。ことのはじめは、こういうことだ。

ユダヤ人は、辺境民族であり、賤民《パリア》民族でもある。中央にいる主人とは、エジプト人であったり、バビロニア人であったりする。古代史におけるエジプト人やバビロニア人は、めっぽうに文化が高く、そして強大である。これにくらべると、ユダヤ人は、弱小であり、文化も低い。そして、今のところは、奴隷のような境遇にいる。

古代ユダヤ教が成立したのは、マックス・ウエーバーによれば、バビロン捕囚の時代であった。そのころのユダヤ人は、文字どおり、強大な新バビロニア帝国の捕虜として、バビロンにつれてこられていた。しかし、それ以前にあっても、それ以後にあっても、ユダヤ民族が独立国家を建設したというのは、むしろ例外であったといってよい。要するに、ユダヤ人は、エジプト、メソポタミア諸国、ヘレニズム諸国、ローマなどの強大、高文明国の辺境における賤民の状態であったのが原則だと思えばよい。

では、なぜ、ユダヤの民は、こんな悲惨な目にあうことになったのだろう。これに答えて、旧約聖書はいう。要するにその理由は、ユダヤの民が、神との契約を守らなかったからである、と。

さて、ユダヤ教の宗教的内容は神との契約であるから、ユダヤ教における救済のための必要かつ十分な条件は、ユダヤの民、ことに為政者が、この神との契約を守ることである。すなわち、神との契約が守られるかぎり、神はどんな奇跡を起こしてもユダヤの民を救ってくれる。

読者は、出エジプト記を知っているだろう。旧約聖書を直接に読んだことのない人でも、有名な〝十戒〟という映画を見た人はいるだろう。モーゼが神の命に従い、シナイ契約を守っているかぎりにおいて、神は、どんな奇跡を起こしても、ユダヤの民を救う。

ところが、ユダヤの民が、神との契約を破れば、もうおしまいである。かのモーゼですら、神の言葉に、一言そむいただけで、もうヨルダン川を渡ることを禁止され、民のリーダーたる資格をうばわれて、のぞみの地、パレスチナに入ることは許されなかった。

では、このように恐ろしい神が、いかにしてユダヤの民を救済してくれるのであろうか。それは、〝契約の更改〟ということをつうじてである。

このことこそ、宗教社会学的にいって、ユダヤ教の驚くべき特徴であり、これあればこそ、ユダヤ教は革命の理論を準備することが可能となり、それをマルクス主義に伝えたのである。

ユダヤ教においては、神との契約が宗教の内容をなし、これが法でもあり、規範でもある。しかも、ユダヤの政治は、本質的に神政政治だから、それはまた、政治の内容をもなす。そして、それが、法であり、規範であることからして、それはまた、社会構造の根幹をなす。このように、ユダヤにあっては、神との契約が、宗教であり、政治であり、社会でもある。

したがって、ユダヤにおいて、神との契約が変わるということは、たんに宗教が変わるだけではなく、法が変わり、規範が変わり、それによって、政治制度も社会構造も、みんな変わってしまうのである。これこそ、真の意味での社会革命である。

ユダヤ教において、神との〝契約の更改〟とは、いつかある日、神は、ユダヤ民族と、より有利な契約を結びなおしてくれる、これによって、今は賤民《パリア》であり辺境民族《ガスト・フォルク》であるユダヤ人が、世界の中心においてその主人になるということである。これが、ユダヤ教における救済である。ユダヤ教における救済とは、死んだ後、来世において、神がユダヤ人の魂を極楽につれていってやるということでは決してない。そんなことは、一言もいってはいないのである。なんとマルクス主義に似ていることか。

まったく正反対の日本の歴史観とソ連の歴史観

社会革命という考えがあればこそ、ユダヤ教においては、時間という考え方がはいってくる。現代というのは、歴史の次の段階に対する一段階であるという考え方がはいってくるのである。この点においても、ユダヤ教は、たいへんにマルクス主義に似ているのである。

周知のように、マルクス主義においては、歴史を段階的に分けて、原始共産制、古代奴隷制、封建制、資本制、社会主義ないしは共産主義とするが、この考え方は、まったくユダヤ教的であって、ほかの宗教からは出てこない。

たとえば、儒教やヒンズー教においては、歴史は永遠のくりかえしであって、現在は、歴史の次の段階に対する一つのプロセスであるという考え方は、まったくみられない。

中国においては、歴史は、統治者の鑑《かがみ》であるとされてきた。つまり、歴史をみれば、そこに政治の法則が発見され、これを利用すれば、統治者は、よりよい政治をすることが可能である、という考え方である。

〝春秋の筆法〟という言葉がある。『春秋』は孔子の主著であり、〝春秋の筆法〟とは、普通人には思いも及ばないような、歴史現象における因果法則のたどり方のことをいう。

儒教の教祖の孔子は、歴史における法則の読み方において、卓抜したものをもっていた。中国において、学者や政治指導者に要求されるのは、まさに、こうした能力である。たとえば、名君の代表の一人といわれる唐の太宗は、帝鑑という書物を編纂《へんさん》し、これを息子の高宗に与え、統治のマニュアルにすることを命じたが、そのさい「銅をもってかがみとすれば衣服を正すべし、古をもってかがみとすれば得失を知るべし」といったが、要するに、これは、古の歴史を研究して、政治における成功、失敗の条件を探求せよ、ということである。

中国人の歴史の見方がこのようなものであるとすれば、その特徴は明白である。つまり、古今をつうじて、歴史をつらぬく、法則そのものには何らの変化はない、という考え方である。もし、歴史の法則に変化があるとすれば、古をもってかがみとすることなど、ナンセンス以外の何ものでもあるまい。

この点、ユダヤ人と中国人とは、根本的に異なる。日本人とはちがって、ユダヤ人も中国人も、非常に歴史を重視し、歴史的な物の見方ということを強調する。この点においては、一見、たいへん似ているようではあるが、このように、歴史重視ということの意味が、まるで正反対なのである。

そして、マルクス主義における歴史のとらえ方は、まったくユダヤ教的であり、中国的なところは少しもない。

マルクス主義的考え方によれば、各段階の社会は、まったく異なった法則をもつ。つまり、封建社会を貫徹する社会法則と、資本制社会を貫徹する社会法則とはまったく異なる、というのである。これは、中国的歴史観とは正反対であり、神との契約更改による社会の根本的変化という考え方がなければ、でてきようがない考え方である。

このことは、元来、歴史という考え方がもともとなく、その後、中国的歴史観あるいはその誤解の上に育《はぐく》まれた日本人には、なかなか理解しにくいだろう。それであればこそ、いまだに、いたるところで、キリスト教やマルクス主義への誤解がはびこっているのであろう。

このことを理解するための一つの補助線として、お祭り、ということを考えてみよう。ユダヤにもお祭りがあり、日本にもあるが、その意味はまったくちがう。ユダヤのお祭りは、出来事祭である。有名なすぎこし祭をはじめとして、ユダヤ人にとって重大な出来事が起きたこと、これを記念して祭りがある。

これに対して、日本の祭りは、季節祭である。出来事祭は、きわめて少ない。たとえば、徳川時代に、幕府創立記念日や、家康誕生日はなく、おもな祭日といえば節句であった。

日本人には、もともと、現在を将来の段階に対するプロセスであるととらえる考え方はまったくないから、歴史の重要な出来事を記念するという発想は、でてきようがないのである。

マルクス、レーニンはユダヤ教の預言者である

さて、マルクス主義を解剖してみると、それは、ユダヤ教と同じ構造をもっていることがわかる。

その段階説的歴史観が、ユダヤ教と共通すると同時に、世界の他の民族の歴史観とはまったく異質なものであることはすでに述べたが、その細目にわたって比較してゆくと、ユダヤ教との類似点があまりにも多く、他の宗教との相違点が、これもまたあまりにも多いことに驚く。

そして、マルクス主義の解釈として、大きな謎となってきた諸点も、これをユダヤ教と対比して解釈しなおしてみると、たちまち氷解する点も少なくない。

マルクスは、世界史を階級闘争の歴史だとして、資本主義社会においては、資本家階級と労働者階級の対立をあげる。資本家階級は支配階級であり、労働者階級から剰余価値を搾取《さくしゅ》するだけでなく、また、権力をも独占する。労働者階級は、生産手段を私有せず、自己の労働力しか売るべきものを持たず、社会から疎外された存在でもあるといった。これは、まさに、ユダヤ教でいう賤民階級《パリア》であり、辺境階級《ガスト・クラス》である。

そして、これが社会の主人公となって、労働者の独裁を可能とするためには、社会革命、社会を根本からつくりなおして、資本主義社会とはまったく別な法則が作動するような社会に、社会全体をつくりかえなければならない。これは、まさに、ユダヤ教における〝契約の更改〟である。

さて、マルクスは、この労働階級による革命を、必然的な世界歴史発展の一過程として説いている。

ここで、かならずわいてくる疑問は、この労働者による革命が、世界史的展開の必然的な一過程であるのならば、だれも革命のために努力する必要はないのではないか、ということである。牢獄や絞首台をものともせず、革命のために抵抗する前衛の努力など、みんなナンセンスになってしまうではないか。

この疑問は一見幼稚のように見えて、マルクス主義の本質をつくものであり、この疑問にまともに答えなければ、マルクス主義は、首尾一貫した説明体系として、人びとを納得させることはできない。

今まで、多くのマルクス主義者が、この疑問に対する反問を試みたが、あまり、人びとを納得させうるようなものは見当たらなかったようである。

しかし、この古典的難問も、ユダヤの預言者と対比して考えるとき、わりあいに容易に、解答が得られるのである。というよりは、マルクス主義の神学的特徴は古代ユダヤ教そっくりなのであるから、このように考えなくては、満足のゆく解答が得られるわけはないのである。

ここで、古代ユダヤ教の預言者とは何だったかということを考えてみよう。預言者、その社会学的特徴はいかなるものであろうか。それは、一言でいえば、いわばユダヤの民が生き残るための制御因子《ビルト・イン・スタビライザー》だといえばよかろう。

すでに述べたように、神との契約を守ることが、ユダヤ人が救済されるための条件である。ユダヤの民が神との契約を守っているかぎりにおいては、神は、いかなる奇跡を起こしても、ユダヤの民を救う。しかし、一度これが破られるや、神は、たちまちにユダヤの民をうち滅ぼしてしまうのである。

では、民は、神との契約を守る生き物なのであろうか。とんでもない。旧約聖書を読んでみて印象的なことは、ユダヤ人とは、なんと神との契約を守らない人びとだろう、ということである。とくに、為政者においてはなはだしい。

ユダヤ教の場舎、神との契約といっても、近代民法の場合とはちがって、個人間の契約という形はとらずに、為政者が民の代表となって神と契約を結ぶという形をとることが多い。だから、為政者の契約違反は、一個人の違反よりも、はるかに罰が重いのである。彼個人だけでなく、ユダヤ民族そのものが、滅ぼされかねない。

それなのに、旧約における諸王ほど神をないがしろにし、神との契約を破る人はいないのである。ダビデ王、ソロモン王しかりである。また、政治家としては、きわめてすぐれていたアカブ王、ヘロデ王なども、旧約聖書では悪王である。

このように、一方においては、神との契約を守ることが救済のための条件であり、他方において、ユダヤ人は神との契約を守らないようにできている。これらのことから得られる結論は、明白である。必然的に、〝……ゆえに、ユダヤ人は滅亡せざるべからず〟ということにならざるをえない。

これでは困るから、そこに歯止め、制御因子が必要になってくる。これが、旧約聖書の預言者である。旧約の預言者は、いま述べた三段論法のゆえに、すべて、滅びの預言者となり、口をきわめて、ユダヤの民、ことに権力者の非行を非難し、ののしることになる。そうでなければ、そもそも、預言者の存在理由はないのである。預言者とは、神との契約を思い出させ、その遵守《じゅんしゅ》を要求する役目の人であるからである。

このようにみてみると、マルクス、レーニン、前衛などがもつ神学的意味が明白となろう。それらは、いわば、マルクス主義における預言者なのである。

各段階の社会は、それぞれ、世界史の発展法則と契約を結んでいると考えられる。その契約の内容が、それぞれの社会を貫徹する社会法則である。たとえば、資本主義社会における価値法則などが、これにあたる。

そして、賤民である労働者階級が、マルクス、レーニンなどにみちびかれて、この契約を更改する、これが革命にほかならない。革命によって、社会に貫徹する社会法則はことごとく変わる。社会主義社会においては、もはや、剰余価値の生産などは不可能であろう。

このような、世界史の発展法則そのものは、まさに必然であって、偶然性の入りこむ余地はまったくみられない。いわば、これが、資本主義社会における賤民である労働者階級の〝救済〟にあたる。

しかし、そのためには、労働者階級は、世界史の発展法則との契約を守らなければならない。これが、契約のいっぽうの側面である、義務である。

そして、義務をはたすためには、ともかくも、バタバタと動きまわればいいというのではない。行動は、この世界史の発展法則にマッチしたものでなければならない。それは、当然、牢獄や絞首台をものともしない決意で行なわなければならないのだ。なぜ世界史の必然のはずの革命のために、わざわざ牢獄や絞首台までを覚悟しなければならないのか、ユダヤ教の考え方によって説明してみた。いや、ユダヤ教によってしかこれは説明できないのだ。

マルクス主義はユダヤ教にそっくりの宗教である。次節で、この宗教が基本的にかかえる大矛盾について述べることにする。

6 ソ連式マルクス主義は神政政治である

ソ連は東ローマ帝国の末裔《まつえい》である

現在のソ連を考えるとき、忘れてならない点は、第一に、この国が、前述のように、ユダヤ教の原理に近いマルクス主義という宗教にのっとった国であるということである。そして第二に、ソ連という国は、東ローマ帝国の伝統をつぐ国であるということだ。

ソ連のイデオロギーの崩壊は、いかにして起こるのか、いや現在起きているのか、そしてなぜ起きているのか、その解明に、この節の目的がある。イデオロギーの崩壊は、その国を、根源的な意味で滅ぼしてしまう。その意味で、経済的、軍事的な敗北より、はるかに重大な危機をはらんでいる。

われわれはこれから、ソ連の亡命者の問題をとりあげる。この微細な事実のなかに、ソ連という歴史上にもまれな大帝国の瓦解の予兆をみいだすからである。

さて、この節の冒頭に、二つの命題を示した。ソ連を律するものとしての、マルクス主義という宗教と、東ローマ帝国の末裔であるという事実だ。この両者の基本的な性質のなかに、近代国家を支えるには不都合なものがあると考えるからだ。

まず、東ローマ帝国とはどんな国であったか説明しよう。われわれがふつうにいうローマ帝国とは、西ローマ帝国である。西欧文化は、ローマ・カトリック、プロテスタントの両者を含めて、この西ローマ帝国に発生、発展の起源をおく。その華やかな西ローマ帝国の東に、もう一つのローマ帝国があった。それが東ローマ帝国である。しかも、この帝国は、西ローマ帝国より、千年も長くつづいた。滅んだのは一四五三年、最近といっていいくらいの時期だ。この帝国の領土、人民の多くの部分が、現在のソ連にひきつがれている。

さて、東ローマ帝国のキリスト教は、ギリシャ・カトリックと呼ばれ、ビザンチンを中心に、西欧キリスト教とは別の独自の発展をとげた。ロシアのもっとも強力な宗教は、今も昔も、このギリシャ・カトリックなのである。

そして、西欧マルクス主義が、ローマ・カトリックとそれに反抗してできたプロテスタンティズムの影響を強く受けているように、ロシア・マルクス主義はギリシャ・

カトリックの影響を受けている。ここで、いささか、ギリシャ・カトリックの特徴について考えてみたい。

われわれ日本人は、キリスト教といえば、ローマ・カトリックとプロテスタントを連想しがちであるが、同じくキリスト教といっても、ずいぶんと変種が多い。たとえば、エチオピアのキリスト教など、日本人の目からみれば、これがキリスト教かといいたくなるほどのものである。儀礼にしろ何にしろ、まったくちがっているのだ。ギリシャ・カトリックは、それほどのことはない。日本人がみても、これがキリスト教の一種であることぐらいは、すぐにわかる。しかし、よくみると、ローマ・カトリックとも、プロテスタントとも、ずいぶんちがうのである。

ソ連の権力は、人間の内面にまではいっている

その第一のちがいとして、ローマ・カトリックにおいてはあれほど厳格な〝聖俗の二元論〟が、ここでは存在しないことである。

〝聖俗の二元論〟とは、簡単にいえば、この世には、霊と肉、つまり、聖なるものと俗なるものの二つがあり、その両者は峻別されなければならない、という考え方だ。

この考え方は、古代社会においては想像を絶する革命的なものである。この聖俗の二元論が、近代を開いたといってもよい。これが〝政教分離〟〝良心の自由〟という現在の常識を生みだした。

ローマ・カトリックでは、聖俗の二元論が存在すればこそ、支配者も二重になる。つまり、俗世界の支配者としては、ローマ皇帝（後に、神聖ローマ帝国皇帝）がいて、聖なる世界の支配者としては、ローマ法王がいる。両者は、それぞれ原理的には独立している。

だから、ローマによる世界統一といっても、統一の原理は一つではなく、俗なる世界の統一と聖なる世界の統一と、二重の統一が存在したのであった。

そして、俗なる世界と聖なる世界とは異なった法体系をもっていた。すなわち前者の法体系が世俗法（後にこれが、市民法すなわち民法となる）、後者の法が教会法である。

このように、俗なる秩序と聖なる秩序との二重構造こそが、ローマ・カトリック世界の特徴であった。すなわち、現にそこにある俗なる世界とは別な、聖なる世界をつくりだしてゆく秩序形成力、これこそ、パウロの遺産であるといってよい。

そして、この俗とは異なる聖なる秩序の形成力こそ、近代デモクラシーの根幹たる、外なる権力とは異なる内なる良心の秩序の形成力となるものであり、内と外とを峻別する契機となるものにほかならない。

ところが、ギリシャ・カトリックにはこれがないのである。すなわち、そこには聖俗の二元論はなく、俗界の支配者は、同時に聖なる世界の支配者でもある。ビザンチンには、ギリシャ法王というものはなく、東ローマの皇帝が同時にまた宗教上の首長ともなる。聖俗いずれにあっても、皇帝が最高の君主であり、西ローマ世界とはちがって、俗なるシステムと聖なるシステムとは一体化しているのである。

ということは、次のような重大な結論を導きだす。ギリシャ・カトリックの世界においては、人間行動における外面と内面との峻別、外なる権力とは異なる内なる良心の秩序の形成力成立の契機は、希薄なものとならざるをえない。すなわち、そこには、近代デモクラシー成立の基盤となるものは存在しないのである。

換言すれば、ロシア・マルクス主義は、西欧マルクス主義とはちがって、近代デモクラシーぬきのマルクス主義であるということができるのである。しかも、そうなった理由は、権力ずきのスターリンの人柄などという、いわば偶然の理由だけでなく、もっともっと根源的な宗教的理由があるのである。

ソ連における自由化の問題も、じつに、ここに根源的理由をもつ。だから深刻なのである。ソ連におけるマルクス主義は、西欧マルクス主義とはちがって、人間行動の内と外との峻別、外なる政治権力からの内なる良心の自由という洗礼を受けていないから、政治権力は無制限に個人の内面に侵入する。

この意味においては、ソ連の共産主義体制は、一種の神政的専制の帝国であり、共産党という一人の父が最上に位していて、人民の心のなかの事柄の上にも支配を及ぼしている。この家父長制的原理は、ソ連では国家にまで組織化されているのである。だから、ここでは、良心の自由もなく、全体に関係のない個人というものもありえないのである。

ソルジェニーツィン、サハロフが要求するものは何か

ソ連における自由化とは、こうした東方的専制主義からの内面の自由の獲得を中心テーマとしている。その本来の姿においては、ソ連共産主義に対する反抗を意味するものではなかった。

ノーベル賞作家ソルジェニーツィンにせよ、ソ連水爆の父サハロフにせよ、みなそ

うである。ここに、ソ連における自由化ということの真の深刻な問題がひそむとともに、これこそ、日本人には、どうしても理解を絶する問題でもあるのである。

いかにも、はじめソルジェニーツィンは忠実な共産主義者であり、ソ連を愛しもした。独ソ戦においては、勇敢に戦って戦功もあげた。彼は、祖国ソ連に叛《そむ》くなどということは思ってもみないし、共産党政権がひきつづきソ連を支配し、政治権力を独占しつづけることに異議があるわけではない。

しかしである。この支配とは、あくまでも人間行動の外面的支配にとどまるものであって、人間の内面は、あくまでも自由でなければならないのである。

この内面的自由が犯されたとき、というよりも、ソ連体制下において、そもそも内面的自由、良心の自由がありえないと知ったとき、彼は敢然としてソ連体制に反抗し、これを否定するのである。

これが、ソ連における自由化のもつ意味である。思いきって、端的にいってしまうならば、次のようにも表現されえよう。自由といっても、外部的行動に関する自由ならば全部あきらめることもできる。ソ連政府の命令のもと、ノルマもあげます、戦争にも行きます、言論の自由すらいりません。まして、西欧型の議会などなくてもよい。しかし、最後にどうしてもゆずれないのが、内面における良心の自由です。その保証だけは、どうしても、なくてはならない。これこそが、ソ連における自由化ということの本当の意味であろう。

サハロフなど、ソ連のために水爆をつくったのではなかったか。彼ほどの良心的な人にして、しかもソ連のために水爆をつくったとなれば、共産主義を信奉し、ソ連政府を支持しているのでなければ、ありえないことである。しかも、彼はソ連に反抗した。それというのも、内面における良心の自由をもとめての行動にほかならない。

つまり、水爆もつくります、戦争協力もします。外部における行動だけであるのならば、どんな協力もおしみません。ただし、ソ連権力は心の内部に侵入してはなりません。

これが、ソルジェニーツィンの要求であり、サハロフの要求であり、ソ連において自由化を叫ぶ人の要求である。

とすれば、これはきわめて深刻であるといわなければならない。これこそ、デモクラシー社会において、それどころか、デモクラシーであろうとなかろうと、近代社会に生きる人間にとって、最初に出てくるところのもっとも根源的な要求なのだ。しかも、ロシア・マルクス主義は、これに答えられるようにはできていないのである。

そしてそれは、偶然そうだというのではなしに、宗教的理由によってそうなってしまっているのである。

ソ連の亡命者が意味するもの

このことが、いかに深刻なかげをソ連に投げかけているかについては、ソ連からの亡命をみれば明白だろう。最近のおもなところをひろってみよう。

たとえば、去年の夏、ボリショイ・バレエ団の最大のスター、アレクサンダー・ゴドノフは、ニューヨーク公演中、逃げ出してアメリカに亡命した。そして、三週間後、ロサンゼルスにおいて、彼ほどではないが、やはり重要な主役、レオニドとヴァレンティナ・コズロフが亡命した。日本においても、いくつもの例がある。最新鋭戦闘機ミグ25をおみやげに亡命してきたベレンコ中尉は、そのもっともはでな例だ。

これらの亡命者をみると、きわめて深刻な事態がソ連において発生していることがわかる。

なぜなら、その亡命者は、(1)政治犯ではなく、いわんや、その他の(2)犯罪人でもなく、また、なんらかの他の理由によって、(3)ソ連にいづらくなった人びとでもない、ということである。

ふつう、亡命の理由としては、だいたい、これらの理由しかない。

そして、亡命されたほうの国としては、原則として、(1)の理由ならば受け入れるが、(2)の理由ならば受け入れない。そして、(3)の場合には、亡命の理由を考えて、ケース・バイ・ケースに処置する、と、だいたいまあこんなぐあいになる。

そして、重要なことは、先にあげた三つの理由以外の理由で亡命する人間など、ふつうはいないという点である。ところが、それなのに、現代のソ連においては、起こるはずのない亡命が起きているのである。だからこそ深刻だといわなければならない。

ベトナム戦争がいやだからといって、アメリカからスウェーデンに亡命する若者もいた。しかし、これなどは理由がはっきりしている。要するに、彼は、兵役を拒否したために、アメリカに安穏《あんのん》と暮らすことはできない、わるくすると銃殺されかねないのである。これでは、だれが考えても、亡命のほかはないではないか。

ところが、最近におけるソ連からの亡命の場合には、事情はまったくこれとは異なる。ゴドノフにせよ、レオニドにせよ、ベレンコ中尉にせよ、そのつもりになれば、安穏としてソ連に暮らせた。それどころか、彼らは、ソ連における特権階級に属し、生活は豊かであり、名誉もまた、ふんだんに与えられている。

また、彼らは、あまり政治には関心はないとみえて、政治活動はしていない。その結果として、当然、政治犯のタイプではない。いわんや、彼らはすべて善良な市民であって、政治犯以外のふつうの犯罪者になることなど、考えられない。要するに、彼らは、もし欲すれば、ゆうゆうとソ連国内において、豊かでしかも名誉ある生活を享受できたのである。

それでは、なぜ、彼らは亡命したのであろうか。ある人は、西側の高い文化と生活にあこがれて、と説明するが、この説明は、よく考えてみると、あまり説得力のあるものではない。

たしかに、現在のソ連においては、西側の文化と生活に対する強いあこがれがあることは否定できない。しかし、人間は、それだけの理由によって、住みなれた祖先伝来の故国を捨てて、習慣、風俗を異にする外国に亡命するものであろうか。

もしそうだとすれば、戦前の日本などにおいては、大量の祖国脱出が起きていてよかったはずである。戦前の日本においては、今日ではもはや想像も絶するほど、生活水準は低く、またそれだけ欧米の文物に対するあこがれも、今日では考えられないほど強かったからである。それでいて、外国に亡命した者など、五人もいなかったろう。

もちろん移民はいた。しかしこれは、亡命とはちがう。彼らは、もとより犯罪者などではなく、いつでも帰国できた。彼らの夢は、外国で成功し、錦《にしき》をきて故郷に帰ることにあったのだから、その志向は、まさに亡命者と反対だ。〝ハマ（横浜）を出るとき涙で出たが、今じゃテクサス大地主〟という歌の文句にもあるように、移民の目的は、行くことにあるのではなく、じつは帰ることにある。この点、帰るに帰れない亡命者とまったく異なる。

このように、高い文化や生活に対するあこがれ、ということによって説明されうるのは、じつは、移民や出稼ぎ労働者であって、亡命者ではない。

この説明に対して、あるいは、ソ連は移民や出稼ぎをみとめていないではないか、だから苦しまぎれに亡命するのだ、という反論があるかもしれないが、これもちがう。もしそうだとすれば、亡命者は、ソ連の下層民や一般大衆ということになるが、すでに述べたように、そうではない。それに、ソ連エリートの生活水準は、少なくとも部分的には、西ヨーロッパのエリートとくらべても、決して低くないのである。彼らを優遇することこそ、ソ連の国策なのだから。

こうした亡命するはずのない人が亡命にかりたてられているという事実のなかに、ソ連における深刻なイデオロギー問題、全社会をおおいつくしている混乱状態があるのである。

7　ソ連の内部崩壊はもう止められない

スターリン批判が命とりになった

ソ連は内部から崩壊する。いやすでに崩壊しつつある。いままでソ連がかかえる問題点について述べてきた。それは、今後どう進展するか。はたして一過性の混乱ということですむのであろうか。そんなことは決してない。現在、この国がかかえる問題は、確実に大きくなりつづける。際限もなく増殖をつづけて、ついには、その生命を奪ってしまう。それは、この国の病気が風邪《かぜ》ではなく、〝急性アノミー〟という不治の病気だからである。

急性アノミー。これがひとたびはびこり始めると、どんな集団もガタがきて、早晩、崩壊の運命にあるのだ。たとえば、池田神話がくずれた後の創価学会は、昔の鉄の団結がうそみたいで、内部告発はあいつぎ、七転八倒しているではないか。カリスマ的指導者は絶対に否定されてはならない。もし否定されたが最後、濃硫酸をかけられた鉄のように、鉄の団結はたちまちボロボロになる。これが急性アノミーである。一九五三年春三月、多くの人びとに神のごとく崇拝され、そして、いっそう多くの人びとに恐れられていたスターリンは死んだ。ソ連をはじめとする各国の共産党およびその同調者は、彼の〝偉大なる生涯に敬意を表し、スターリンは、永遠に万国プロレタリアートの胸中に生きるであろう〟と結んだ。

それからわずかに三年、五六年の三月には、早くも、世にいう〝スターリン批判〟が始まった。モスクワの第二十回共産党大会における、ミコヤン第一副首相の演説をもって始まるソ連共産党幹部のスターリン攻撃は、かつての偶像スターリンを、完膚なきまでに叩《たた》きつけてしまったのである。しかも、彼らのスターリン批判は、帝国主義批判にもまして激烈をきわめたものであり、その学説、政策および人格のすべてに対する全面的総攻撃であったと言ってよい。

まず第一に、その学説の否定がある。マルクス主義には、幾多の解釈があるが、従来のソ連におけるマルクス主義は、レーニンによって解釈され、スターリンによって公認されたものであることを特色としてきた。それ以外のマルクス主義などきついご法度《はっと》である。五三年以前のソ連で、スターリン主義者以外のマルクス主義が生存することは、プロテスタントがスペインの異端審問所をくぐりぬけるより困難であったろう。トロツキー主義などはもっともいけない。

スターリン主義を一書で要約するとこうなる。〝改良主義への反撃と暴力革命主義〟がレーニン主義の特色であったが、さらにスターリンは、〝帝国主義のもとでは戦争はさけられず（「レーニン主義の基礎」・一九二四年）〟〝世界市場の崩壊にともなう世界資本主義の全面的危機は深化（「ソ連邦における社会主義の経済問題」・一九五一年）〟しているという点にある。

これらの三点に対してミコヤンは激しく批判した。そうなると、どう考えても、レーニン・スターリン主義の根本的否定である。〝スターリン批判〟は、じつはレーニンもいっしょに否定してしまったのである。従来のソ連においては、マルクス、レーニン、スターリンは、セットになって三位一体《さんみ》のごとく教えこまれていたから、これはたいへんなことである。

次に、スターリンの政策に対する批判がつづく。まず、スターリンは、革命の英雄の取り扱いを誤り、マルクス、レーニンによってきびしくいましめられていた個人崇拝を助長したと非難された。これもたいへんなことである。今でこそ共産主義国においても個人崇拝はわるいということになっているが、それまでは、ソ連においては、スターリン崇拝は、空気のようにあたりまえであったのである。いたるところに馬鹿でかいスターリンの写真や肖像が氾濫《はんらん》し、彼の名はつねに、〝偉大なる教師スターリン〟〝スターリン大元帥〟……などと、これでもかこれでもかとデコレーションがなすりつけられてきた。

芸術までも、スターリン一辺倒であった。その傑作の一つがアレクサンダ・ゲラシモフの「ヨセフ・スターリン元帥」であるが、この絵を見れば、だれでも中世ヨーロッパの宗教画を連想することだろう。

こんなわけだから、ミコヤンの演説を読んだソ連民衆は、天地がひっくりかえったように驚いたことだろう。

また、ここにおいてはじめて、彼の大粛清《だいしゅくせい》が批判の的になった。従来は、外国人にとってこそ周知であったが、ソ連国内においてそれは、異端者あるいは裏切者に対する処罰として、正しいこととして宣伝され、むしろ、スターリンの業績の一つと数えられてきたのである。

これがフルシチョフとなるともっとひどい。彼は、この第二十回共産党大会の非公開大会の席上で、スターリンを殺人者とののしり、その天才と勇気を否定する演説を行なった。さらに、彼の外交政策上の失敗が指摘され、ここでも彼の絶対不可謬性《びゅう》が否定された。これは重要である。スターリン神話の原点は、母なるロシアを狂暴なナチスから救ったということにあるからである。これに対しフルシチョフは、対独戦初期におけるソ連軍の大敗は、スターリンの対独認識の誤りに原因があるといった。彼は最後まで、よもやドイツは攻めてこないだろうと信じ、必要な戦争準備をおこたったために、完全に奇襲されてしまったと非難した。そのうえ、スターリンの戦争指導は、きわめて欠点の多いものであったことが強調された。これでは、救国の英雄もまるでかたなしである。

スターリン批判のかなりの部分は、はじめは非公開の席上で行なわれたが、これこそ、フルシチョフ政策の目玉である。ほどなく、全世界に知れわたることになった。こうなるともう、教祖の全財産を持ち逃げされた宗教団体みたいなものであり、急性アノミーは避けられるはずがない。

ソ連にスターリンは絶対必要だった

急性アノミーは、アメリカの政治学者ディグレイジアによって体系化されたが、このことの重大さは、すでにそれ以前、ヒトラーとフロイトによって発見されていた。

ヒトラーは、『わが闘争《マイン・カンプ》』の中で論じている。なぜ、ローマ・カトリックは、千年以上にもわたって、世界最大の宗教でありつづけることができたのだろう。その理由は、ローマ法王の絶対不可謬性にある。どんなあやまちをおかしても、絶対にこれをあやまちだとみとめないのだ。そのかわり、だまってこれをひっこめてしまう。

カトリック教会は、高度に組織化され、持続性のある、人為的な集団である。このような集団においては、どうしても、集団が解体しないように、またその構造に変化をきたさないようにするために、なんらかの外面的な強制が必要である。この強制をつづけるためには、指導者である特定の人格への帰依が必要である。そこには、みんなを平等に愛すると信ぜられる、理想化された指導者が存在しなければならない。この人あって、はじめてその団体は、十分に強力な団結を保ち、各成員が共通の目標に対して、没我的に驀進《ばくしん》することができるようになるのである。

では、この結合が破壊されると、どうなるであろうか。このとき起こることは、集団におけるパニック現象である。秩序は守られなくなり、上官の命令はきかれなくなる。そして各人はせまい自己のみを考えるようになり、相互の信頼と結合はやぶれて、無気味に不安がしみこんでくる。もっともよい例は、隊長が狼狽《ろうばい》した軍隊にあらわれるパニックである。この現象は、古くからよく知られている。第一次世界大戦におい て、カイゼルがオランダへ逃げたとの報が入るや、ドイツ陸軍はなお戦闘力を保持していたにもかかわらず、崩壊してしまった。この心理は、信頼しきった者に裏切られたときの集団心理の一例である。

ローマ法王は、どんなことになっても、一度も逃げたり狼狽したりしなかった。それゆえ、カトリック信者との結合は失われることなく、カトリック教会は高度に組織化された集団として持続できたのである。

これがヒトラーの説であるが、フロイトはこの現象に心理学的説明を与えた。彼が挙《あ》げている例もまた、戦場で隊長が腰をぬかしたとき、そのことが部下に巻き起こすパニックの分析である。戦争体験のある人ならばだれでも知っているように、敵の大軍にかこまれたとき、隊長がうろたえたらもう駄目である。生き残れるチャンスも利用できない。部下は、どうしてよいかわからなくなってしまうのである。これに反し、隊長が余裕しゃくしゃくとしていれば、部下はどんな危機に際しても、じつによく眠る。これである。急性アノミーはまた、ヒトラー＝フロイトの定理ともいう。

さて、スターリン批判が、ソ連の政治組織ないしは支配構造にいかなる効果をあたえたかをみてみよう。ソ連は、高度に組織化され、持続性のある、人為的な集団である。ソ連の最高の目標は、経済的、技術的、文化的、さらには軍事的に、先進資本主義諸国に追いつきこれを追いこすことにある。これのみが、究極的に共産主義が資本主義に優越することを証明するからである。あいつぐ五カ年計画、かなりの禁欲生活、反対者の強圧は、すべてこのためである。

この強制をつづけるためには、理想化された特定の指導者の人格に対する帰依が必要である。そうした上位自我《スーパー・エゴ》があってはじめてソ連人は共通の目的にむかって無我夢中で驀進《ばくしん》することができるであろう。スターリン神話が生まれたのも、ソ連社会がそれを必要としていたからである。

ソ連の崩壊は遠いことではない

ソ連においては、共産主義そのものが、スターリンの信仰と密接にむすびついて成立したものであった。ソ連の大部分の民衆および若い共産党員にとっては、共産主義とスターリンは同義語か、あるいは、少なくとも、同じ連想の範囲内に属する言葉であった。異端者は容赦なく弾圧される環境の中で、スターリンの解釈のみが唯一の正しい解釈であると教えこまれた者にとって、共産主義は何と理解されていたか。彼らは、それを資本主義の矛盾によって知ったのでもなければ、反対者との闘争の中に実践的に体得したのでもない。ただ宣伝され、教えられてきた一つの教えにすぎないのだ。

こうした点を考えると、ソ連国民にとって、スターリンの理論、政策および人格の否定は、偶像の破棄であり、きのうまでの信仰の対象の蹂躙《じゅうりん》である。スターリンすら誤れりというならば、はたして正しいものなど世の中にあるであろうか。真の共産主義者であればあるほど、この悩みは大きいにちがいない。

正体のわからぬ大きな不安が次から次へと人々の心をとらえていき、信念は薄らぎ、猜疑《さいぎ》心がひろがっていく。お互いの信頼の念と惜しみなき献身にかわって、利己心と、長い間おさえられてきた快楽への欲望が、やむにやまれぬ勢いで出現する。勇気ある者、献身的な者は軽侮《けいぶ》され、小才の利いた否定論者が幅をきかすようになる。

それだけではない。スターリンと共産主義とが同じ連想の範囲に属する以上、スターリンの否定は、心理的には、共産主義の否定と同じことである。スターリニズムが共産主義の唯一の正しい解釈だと教えこまれてきた者にとって、スターリンを離れた共産主義を考えるということは、心理的に不可能なことになる。以上によってつぎのことがわかる。

（1）スターリンの否定は、高度に組織された、持続性のある、人為的な集団であるソ連の、結合の心理的基礎を破壊し、以前のような強力な政策、たとえば急速な経済発展政策などを遂行することは不可能になるとともに、なんらかの〃大きな事件〃があった場合には、その組織体系が崩壊する危険にさらされるであろう。そして国民は、今後犠牲的精神と相互の信頼を失い、利己的となり、政府の命令は信奉されにくくなり、おそらく道徳的頽廃《たいはい》が一般化する。

（2）共産主義は、以前のような宗教性を失い、共産党は国民の信頼を失って、ソ連は思想的な危機に立つ。

スターリン批判により、ソ連人は、アラーに逃げられたホメイニになってしまった。ソ連は共産主義国家としての生命力を、完全に失ってしまった。現在かかえている問題を解決することはできない。そしてそれがいつの日にかなんらかの〃大きな事件〃に発展する。

ヤミ工場まで持つようになった反経済がその引き金を引くかもしれない。農村部では三〇パーセントにも達するというキリスト教徒は、この瞬間もふえつづけている。彼らが過半数を占めるようになったら、ソ連はどうなるだろうか。四千万人以上の回教徒もふえつづけている。ソ連の犯罪問題研究所には千人以上の常任研究員がいる。これだけでも歴史的な巨大研究所だが、近い将来、これを一万人に増員しなければならなくなったら、どうなるだろう。指導者層の〃世襲〃に純朴な国民が気づいたら、どうなるだろうか。オリンピックのために、国民がメイン・ストリートを自由に歩けないなんて国が、自分の国だけだと気づいたら、どうなるだろうか。

2

ソビエト軍は見せかけほど恐くない

1　ソ連軍を〝張り子の熊〟にした組織の論理

ソ連軍は巨大な国鉄である

ソ連は、今や、経済も社会もイデオロギーも、すっかりあがったりになってしまった。しかし、そのソ連で文句なしに立派なのが軍隊だ。共産主義ソ連はどこかにいってしまって、軍国ソ連が誕生した。

男の子が十七歳になると、徴兵事務所に届けでる。一年たつと、赤紙ならぬ一枚の葉書がまいこんできて、定められた徴兵検査場に出頭しなければならない。これを怠ると懲役十年だ。空軍、海軍、戦略ロケット軍に配属されるのが、優秀とされた人びとだ。

ソ連においては、いまだに第二次大戦の傷跡は深く、母国を救った赤軍を、ソ連人は心から誇りに思っている。だから、そこに入隊することは、男の子にとって、これほど名誉なことはない。

入隊すると、そまつなバラックにつめこまれて、さんざんしごかれる。訓練のほうが実際の戦闘よりきつい、というくらいだ。この点、ぐうたらなアメリカ兵など問題にならない。

ソ連軍の中核となっているのが、四十万人の将校と百万人の下士官である。士気も高く、待遇もいい。給料は十年勤務の軍曹で月六〇〇ルーブル、これは高校教師とほぼ同じだ。中尉ともなると、その倍になる。大佐ともなると、大会社の社長なみだ。社会的地位も高く、医師や弁護士よりも上だ。これほど優遇された軍隊は、帝政ドイツのプロイセン将校、戦前の日本軍くらいのものだろう。

この章では、ソ連の誇りであり、また世界各国から脅威とされている、ソ連軍について考えてみることにする。

さて、軍隊は組織である。組織されていない軍隊なんて、なんの役にもたたない。ところが、この組織というものがまた、しまつの悪いものなのだ。

このことは、われわれは、いやというほど見知っている。たとえば、国鉄（現・JR各社）である。国鉄は運送業である。国鉄の組織は、この目的のために存在し、それ以外にはない。ところが、国鉄の組織がひとたびつくりあげられてしまうと、それは、運送という目的だけのために存在するのではなくなってしまう。組織そのものが自己目的化し、その構造的要請、機能的要請のために組織が動くようになる。そして、その結果、運送業という本来の目的と矛盾するような行動でも平気でするようになる。

いかにも、現在の国鉄における非能率はたいへんなものであって、国鉄の売り上げとトヨタ自工（現・トヨタ自動車）の売り上げとはほぼ同一であるが、国鉄はトヨタ自工の十倍以上の人員を擁している。

また、国鉄には赤字線が多い。この赤字線を廃止し、人員を整理することこそ、国鉄が運送業という本来の目的のために奉仕する最良の方法であり、これが日本の国家目的からすればベストなのではあるが、なかなかそうはいかない。その理由の一つは、国鉄という組織が自己目的化し、それ自身の要請に従って動くからである。そして、国鉄の要請と国家の要請とが衝突しても、いっこうに気にすることはない。

ソ連軍は国家の要請を無視して行動している

このような自己目的化した組織のなかで、最大のものが軍隊である。帝政ドイツにおいても、戦前の日本においても、自己目的化した軍隊は、国家の癌《がん》であった。国家的要請と軍隊自身の要請とが衝突する場合には、軍隊は必ず自分を国家に優先させることになる。それゆえ、国家は軍隊によって破局にみちびかれることになる。

たとえば、戦前の日本において、陸軍自身、対米戦に勝ち目のないことはよく知っていた。日本の国家目的は、どんなことがあっても対米戦を避けることであり、このことに関しては、だれ一人として異議のありようがない。責任のある人間は、一人のこらず戦争反対であったが、それは当然のことであって、後からのいいのがれだとは思えない。

ところが、陸軍の要請は、絶対に支那撤兵はしないということである。支那撤兵をしなければアメリカとの戦争は必至であるから、国家的要請と陸軍の要請とは矛盾する。いかにすべきか。論理的には、答えは疑問の余地のないほど明白であろう。国家のために陸軍があるのであって、陸軍のために国家があるのではない。陸軍の要請が国家のそれと矛盾するのであれば、陸軍はためらうことなく譲歩すべきであろう。しかし、陸軍の組織の論理はこれを拒否した。

帝政ドイツにおいても、これと同様な展開がみられた。

ソ連軍は今や、ソ連最大の組織に成り上がった。軍の要求が、ソ連において占める地歩の大きさは、容易に想像できるだろう。しかも軍の要求は、それが国家の安全保障のための要求という形をとるため、だれしも容易に反対しえないのだ。

一九五六年のハンガリー事件、六八年のプラハの春、チェコ事件を思い出していただきたい。アフガン事件もそうだ。ハンガリー事件ではナジ首相を処刑し、チェコ事件ではドプチェク第一書記を追放したが、そのやり方は全世界の非難をあびた。これらの事件で、共産主義を嫌いになった人は、日本にも、世界にも多い。

これらの諸事件には、時期も国際環境も著しく異なるにもかかわらず、注目すべき共通点がある。すなわち、
(1)軍事行動においては、抜く手も見せぬ早業と集中投入方式であって、スエズの英仏軍や、ベトナムのアメリカ軍のような、兵力の逐次投入の愚を犯していない。
(2)それでいて、国際政局、イデオロギー、ナショナリズム等の政治的、社会的要因に対する配慮はきわめてとぼしく、そのため、ソ連はやがて苦境に立つことになる。ことに、長期的、歴史的配慮にいたってはゼロといってよく、これらの軍事行動が、歴史的にみて、ソ連にどれほど深い傷を負わせ、そのイメージをそこなうかということに関しては、まったくといってよいほど考えられてはいない。
すなわち、ソ連を軍事的に安泰にするという軍事的要請は、ソ連の国家的要請とまっこうから対立することになる。これらの諸事件は、ソ連軍の軍事的要請が国家的

要請を、踏みにじって起きたものだ、といってもよいだろう。

ソ連にも立派な死の商人がいる

このソ連軍の軍事的要請と国家的要請との矛盾は、経済に目をむけると、なおいっそう激しくなる。

最近のソ連経済の成長は、年〇・七パーセントと、ほとんど停止してしまったにもかかわらず、軍事産業のみは急成長である。軍事産業がソ連産業全体のなかに占める比率もきわめて高い。

アメリカの上下両院合同経済委員会の『変革期のソ連経済』によると、一九五五年にはアメリカの四割であったソ連のGNPは、七七年には六割になったという。アメリカとソ連とではGNPの算出法が異なるから、実際には約半分だという学者もいる。そうだとすれば、ソ連の国防支出の伸びは、よけい狂気じみてくる。五五年にはアメリカの四六パーセントにすぎなかったのに、七七年には一一六パーセントにもなった。その結果、今では、ソ連の軍備は世界一である。

大陸間ミサイルは、ソ連一三九八発対米一〇五四発、潜水艦ミサイルは九五〇発対六五六発、その結果、核爆発力は七八三六メガトン対三二五三メガトンだ。陸軍の兵力は三百六十万人もいて、これはアメリカの二倍。最近十年間に、戦車兵力は三五パーセント、砲兵は四〇パーセント、固定翼の戦術空軍は二〇パーセントも増加しているのである。もともとソ連は陸軍国であるが、軍艦でさえも最近は、毎年二〇隻もつくっている。

工業といわず、農業といわず、経済的苦難は山積しているのだ。軍拡をへらせばそれだけ経済面にプラスになるにきまっている。このままだと、軍備の重圧のために、遠からずソ連経済はへたばるだろう。だれがみても狂気の沙汰《さた》としか思えない。それなのにソ連の軍事産業はつくりまくるのだ。

軍事産業が大きな比重を占めてくると、多くの微妙な問題が起きてくる。死の商人という言葉があって、資本主義諸国においては、ひとたび形成された軍事産業は、それ自身の法則性に従って動き出し、利潤をもとめて武器を世界中に売りまくることになる。

これは資本主義社会での話だが、社会的条件を異にするとはいえ、軍事産業が武器を売りまくりたいということについては、ソ連でも、資本主義諸国でも変わらない。現にソ連は、アメリカをしのぐ武器輸出国である。

ベトナムでも中東でもエチオピアでもソ連製の武器が大量に使われた。ソ連の軍事産業は立派な死の商人だ。これに対しては、反論があるにちがいない。同じく武器の輸出といっても、ソ連と資本主義国とでは、その意味がちがっている。資本主義諸国の企業は、利潤をもとめて武器を外国に売るのに対して、ソ連などの社会主義国の場合には、同盟国を援助するために武器を輸出するのであって、これを死の商人と呼ぶことは不当である、と。

しかし、この反論に対しては、もう少し深く考えてから答える必要がありそうである。現在では、ソ連経済においても利潤原理はとり入れられてはいるが、そもそも利潤ということの意味が、ソ連と資本主義国においては大きくちがう。

このことを理解するために、各社会における根本的〝富〟ということについて、考えてみたい。

ソ連と日本の〝富〟は、貨幣ではなく、市場占有率《シエア》である

いかなる社会においても、富は種々様々な形をとるが、そのなかでも、とくに中心的となる形態があるものである。

中世封建の世の中にあっては、それは土地であった。この時代においては、土地を多く持っている人が富んだ人であり、すべての重要な派生的富は、土地によってつくり出される。これに対して、近代資本主義社会における根本的富は商品であり、とくにその交換価値の一般化としての貨幣である。近代資本主義社会においては、貨幣を多く持つ人が富んだ人である。すべての商品は、貨幣と交換することによって獲得される。資本主義社会では企業活動の動機となる利潤も、貨幣の形で表現される。

これに対し、社会主義社会においては、貨幣は根本的富とはなりえない。すでに述べたように、すべての商品が貨幣との交換によって得られるとはかぎらないからである。では、社会主義社会における根本的富は何か。社会主義社会では、生産は社会化され、生産手段は私有されることはない。この点、資本主義社会――企業が利潤をあげても、それは私有化されることはない。企業があげた利潤は、いったんは企業に帰属するが、それは配当という形で結局は個人に帰属する資本主義社会――とは根本的に異なる。

社会主義的生産が行なわれている社会の根本的富とは、企業の市場占有率《シェア》であると思われる。従業員にとっては、とくに企業トップにとっては、これこそ最大の生きがいであり、このためにこそ全力投入がなされるにちがいない。利潤といっても、企業を太らせるところに主眼があるのだから、要するにそれは中間的存在にすぎず、最大の動機は、企業そのものの拡大にあると思われる。たとえ利潤が大きく、それにともなうボーナスが存在したとしても、私有財産の世襲制度が存在しない社会において、これが最終動機となるとは、とうてい考えられない。

この意味においては、日本の企業などは、資本主義的というよりも社会主義的なのだ。ある記者が、日本の企業トップと欧米の企業トップとにインタビューしたことがあった。彼らの誇りとするところは何か。欧米の企業トップの誇りは多額の配当をすることにある、ところが、日本の企業トップにとっては、配当などは結局はどうでもよい。彼らの最大の関心は、市場占有率を大きくすることであった。そのためにこそ、彼らは働くのだ。

日本は資本主義ではなく、じつは、仮面をかぶった《ディスガイズド》共産主義《コミュニズム》の国であるといわれているが、もっともなことだ、といわなければならない。

社会主義国においては、企業の市場占有率《シェア》こそが根本的富であるとすれば、社会主義国にもやはり武器輸出の動機は存在する、といわなければならない。ソ連にも、死の商人は存在しうるのだ。ときには、ソ連という国家自身が巨大な死の商人ともなる。

ソ連の武器輸出は決して小さな量ではないが、それでも、ソ連の兵器産業の最大のお客は、ソ連国家自身である。この膨大な需要をまかなうために、ソ連の兵器産業は今やソ連最大の産業であり、世界最大ですらある。

組織の恐ろしさは、各人の意識を変える点にある

兵器産業も、ソ連の場合のように大きくなると、自己の組織固有の運動法則に従って動く。この点において、アメリカの軍事産業や日本の国鉄などと同様である。この場合の組織固有の運動法則とは、その構造的要請と機能的要請のことをいう。機能的要請は、欧米諸国においては利潤の追求という形をとるが、すべての場合にそうであるわけではないことに注意しなければならない。第二次大戦中におけるメッサーシュミット、ハインケルなどのドイツ航空機産業は、利潤原理というよりも、むしろ第三帝国の国家目標のために生産したし、当時の日本の三菱重工や中島飛行機にもこの傾向がみられた。

なにしろ、戦争が激化し、連合国の空襲が激しくなった時点においては、いくら投資しても、利潤よりも損失が大きくなることは目に見えていたではないか。それにも

かかわらず、これらの航空機産業は気違いのように、設備投資の拡大と増産とを行なったのであった。

先にもふれたが、戦後日本の国鉄は、その極端な場合である、といってよいだろう。そこにはもはや、利潤原理は影も形もない。国鉄は、走らせれば走らせるほど赤字がかさむのである。利潤原理からすれば、とっくに倒産していなければならないはずである。倒産がいやならば、徹底的合理化が不可欠である。これが利潤の論理であり、資本の論理である。それにもかかわらず、国鉄は倒産もしなければ、徹底的合理化も行なわない。その理由は、組織原理が利潤原理に優先するからにほかならない。というよりも、完全にとって代わってしまったといってよいだろう。

このことを考えあわせると、ソ連における軍事産業、あまりにも巨大化した軍事産業が、それ自身の組織原理に従って動きだしたとしても不思議ではない。

そして、ここで決定的に重要なことは、軍事産業の組織原理は国家目的と合致することもあり、また、しないこともあるということだ。

合致する場合には、なんらの問題も生じない。しかし、これらが合致しない場合どうなるか。いずれの目標が優先されるのであろうか。このような場合の鉄則は、巨大組織は必ず自己の組織原理を貫徹し、それが国家目的と正面衝突しようとも少しも意に介さない、ということである。

われわれはすでに戦前日本の陸軍を例に挙げたが、支那撤兵不可という陸軍の組織原理を貫徹するためなら、日本を破滅的戦争にひきずりこむくらい、少しも意に介さなかったのである。

ここで強調しなければならないことは、戦前日本の軍人は決して売国奴でもなければ、愛国心が足りないわけでもなかった、ということである。彼らは、誠心誠意、行動した。これは、世をあざむく宣伝ではなく、心からそう思っていたのである。いかなる資料をどう分析しても、彼らが偽善者であることを証明するものは皆無である。それどころか、自らも確信し、他人にも愛国心を押しつけたのは、じつに彼らであったのである。

それにもかかわらず、陸軍の組織原理と日本の国家目的とが衝突するとなると、彼らはためらうことなく国家目的を捨てる。そしてさらに重要なことは、このことが少しも意識にのぼらない、ということである。現実において、それがいかに矛盾にみちたものであったとしても――支那撤兵を拒否して、アメリカと戦争をする、などということを思い出してもみよ――彼らの意識においては、少しも矛盾が感じられない。彼らは、陸軍の組織原理が国家目的と合致するということを信じて、少しも疑おうとしないのである。これは、客観的にみれば馬鹿馬鹿しくて話にならないことであるが、彼らの主観においては否定すべからざる真理である。

ここに組織の恐ろしさがある。マルクスは、人間の意識が社会関係を規定するのではなく、逆に、社会関係が人間の意識を規定するのだ、といったが、このことがもっともよくあらわれてくるのが組織であろう。ある組織に加入し、それによって規定される利害状況にどっぷりとつかってしまうと、人間の意識はたちまち変化し、その組織のみが全世界であるように感じられてしまう。そして、組織の要請は、あたかも神の命令のごとくみえてくるのである。このことは、客観的に冷静にみれば、まさにナンセンス以外の何ものでもないが、当人にはそれがわからない。

かつてアイゼンハワーが大統領のとき、ゼネラルモータース社長のウィルソンが国防長官に就任したことがあった。このとき、アメリカのジャーナリズムが問題としたのは、彼が依然として、ゼネラルモータースの大株主であることであった。ウィルソンはいろいろと弁明して、私は決して国家目的をないがしろにして、ゼネラルモータースの利益を優先させることはないであろうと説明したが、ジャーナリズムはどうしても納得しない。そしてとうとうウィルソンは、国防長官になるためには、ゼネラルモータースの大株主をやめざるをえないことになってしまった。一軍事会社の大株主であるような人間は、その人柄や主義主張とはまったく無関係に、国防長官には不適任である、とこうアメリカ人は考えるのである。

組織原理は、人間の意識を支配し、行動を完全に規定してしまう、という鉄則をいくつかの例を挙げて説明した。

これらの例をみて、ある人はいうかもしれない。これは、アメリカや日本などの資本主義国における話であって、社会主義国においては事情はまったく異なるのである、と。つまり、各社会は、それぞれ別な固有法則性を有するから、資本主義社会における鉄則も、社会主義社会においては通用しないだろう、と、こういうにちがいない。

世界最強のソ連陸軍はなぜ敗北したか

ところがどうして、この鉄則は、社会主義国であろうと、共産主義国であろうと、立派に通用するのである。いくつかの例を挙げて、このことを説明してみよう。

まず、スターリンによる粛清である。一九三八年、スターリンによって、三人の元帥、四百人の司令官をはじめ、驚くなかれ、全部で五千人の将校が銃殺されるという大粛清がスタートした。その容疑は、ドイツと結託してソ連の転覆をはかったというのであるが、それにしても規模が大きすぎはしないか。粛清された将校は、トハチェフスキー元帥やブリュッヘル元帥をはじめ、ソ連の中核をなす人びとであり、ソ連軍の至宝とも呼ばれるべき人も多い。そんな人を、こんなにも大量に皆殺しにしてしまえば、だれがみても、ソ連軍の弱体化は必至である。

このように大量の将校が銃殺されただけでなく、それよりはるかに多数の将校がラーゲルに投げ入れられ、自由を奪われている。これらの将校はすべて、後にくわしく述べるラッパロ協定によって、ドイツ軍から近代戦のやり方を学んだ優秀な人びとだ。これによってソ連軍は、すっかり弱くなってしまった。

一九三九年の対フィンランド戦争においてソ連軍は弱体ぶりを世界にさらすが、その原因はスターリンの粛清にあるといわれている。独ソ戦前半におけるソ連軍の大敗ぶりもひどいものであった。一九四一年六月二十二日、ドイツ軍は疾風のようにポーランド東半を席巻するや、レニングラード、モスクワ、ウクライナへと、三方へむけて潮のごとき進撃を開始した。このとき、ソ連軍はほとんど有効な抵抗ができなかった。ソ連軍は、いたるところで攻撃され、包囲され、そして殲滅《せんめつ》された。

兵力からいえば、ソ連はドイツ軍の約三倍、当時もっとも重要な兵器であった戦車も、ドイツ軍の約三〇〇〇台に比して約二万台はあった。しかも、ソ連軍の最優秀車

T34はドイツ軍のいかなる戦車とも比較を絶して強力であり、これをソ連軍は二四〇〇台も持っていた。

それが、なんでこんなぶざまなことになってしまったのだろう。なにしろ、捕虜だけで八百万人もでるありさまだ。その理由としては多くのものが考えられ、学者の意見もさまざまに分かれるが、最大の原因はやはり、粛清の傷跡がまだあまりにも大きく、血をしたたらせていたからにほかならない。ソ連軍にはロクな将校はいなかったのである。ドイツ軍が侵入を開始したころ、これをむかえうつべき優秀な将校は、あるいは墓の中に、あるいはラーゲルの中にいた。

ソ連軍が反攻の力を得たのは、独ソ戦当初におけるあまりの敗北に驚いたソ連当局が、やむなく有能な将校たちをラーゲルから解放して前線に立たせてからであった。

このように、なんとみても、スターリンの粛清は気違いじみていた。これによって、ソ連軍は壊滅の一歩手前、ソ連は滅亡の一歩手前までできたのである。

ソ連軍がドイツ軍にくらべてあまりにも弱く、あまりにも計画どおりにドイツ軍の計画が進展したので、ドイツ軍のハルダー参謀総長などは、開戦四週間後にはもう戦後の計画について考えはじめていたそうである。

そして、一九四一年十二月のはじめ、ドイツ軍がモスクワを半月形にとりかこんだときには、ソ連体制は、まさに累卵《るいらん》のあやうきにあった。政府はすでにクィブィシェフに逃げ出してしまっていたし、モスクワの共産党員は、ドイツ軍による戦犯扱いを恐れて、党員証の焼きすてをはじめていた。ウクライナにおけるソ連軍はほぼ全滅し、レニングラードもすでに幾重もの包囲のなかにあった。

スターリンは、断固としてモスクワに踏みとどまって、徹底抗戦を覚悟するが、そんなことになってしまったのも、すべて彼の責任である。

労働者あがりの将軍では、本物の武将にかなわない

しからば彼は、なぜ独ソ戦を前にして、有力な将校を皆殺しにするなどという暴挙を断行したのであろうか。ヒトラーがソ連に早晩おそいかかるであろうことは、すでに『わが闘争《マイン・カンプ》』の中で予言している。慧眼《けいがん》なスターリンが、これを理解しないはずはない。世界一強力なナチス陸軍がソ連におそいかかったとき、頼りになるのはただ一つ、強大な赤軍だけではないか。ドイツ軍の三倍の兵力を有し、高度に機械化された赤軍のみがソ連を破滅から救いうるであろう。

こういうときにソ連軍の中核をなす有能な将校——そのなかにはトハチェフスキー

元帥をはじめとして近代機械化戦の権威が多数含まれていた――を皆殺しにするなんて、自殺にひとしいではないか。

そもそも、スターリンはドイツのスパイか。子供だって、こう思うにちがいない。しかし、現在ではすべてのデータが示すように、スターリンは発狂したのでもなければ、ドイツのスパイでもなかった。これこそ、恐るべき組織的要請であったのだ。

一説によると、これは、ドイツ情報機関の陰謀であるともいわれている。ソ連軍の弱体化をもくろむドイツ情報局が、偽《にせ》の情報をつくって、チェコスロバキア経由でソ連に流させ、トハチェフスキー元帥以下をドイツ軍のスパイに仕立てたのだ、と。

この説は、ミステリーとしてはたいへんにおもしろいし、事実、そのようなこともあったのかもしれないが、こんな小手先細工のみが原因であの大粛清が起きたという説明には、だれも納得しないであろう。

なにしろ、規模が大きすぎるのだ。五千人という多数の将校がみんなドイツのスパイだったと、あの疑い深いスターリンが本当に信じていたのだろうか。偽の証拠、ドイツ情報局がでっちあげたつくりものの証拠などというものは、厳重に調べてみれば、ほどなく化けの皮がはがれるものだ。こんなにも多数の将校が銃殺されてしまうまで、スターリンを筆頭とするソ連首脳が少しも気づいていなかったとは、とうてい考えられまい。どう考えても、粛清の理由などはでっちあげだと、当時のソ連首脳は知っていたにちがいないのだ。

ではなぜ、これほど大規模の粛清が断行されたのか。ある人は、スターリンの独裁制を強化するためだという。結果的にはそうなってしまったかもしれないが、では、なぜこのことが、スターリン独裁制強化に結びつきえたのだろう。なぜ、当時のソ連の人びとは、こんなことを許したのであろう。

それこそが、当時のロシア共産党の組織的要請であったのである。

赤軍のように巨大な軍隊を統制することは、いかなる場合でも困難をきわめる。日本陸軍の運動法則が自己目的化してしまったことは、日本人ならだれでも知っているが、ヒトラーの天才をもってしても、ドイツ陸軍の統制は容易なことではなかった。ドイツ陸軍や日本陸軍にくらべても、ソ連陸軍はさらに巨大である。たんに巨大であるだけでなく、独特の歴史をもっている。

独特の歴史とは、組織論的にいえば、次の三つに要約されるだろう。

(1) それは、世界革命の前進基地たるソ連防衛のために、トロツキーによって設立された。

(2) それは、当初から本格的な機械化部隊を中心にして編成された。

（3）それは、ラッパロ協定に基づいて、ドイツ軍の指導のもとに近代化された。

この三つの組織的特徴を有する。

これらの歴史は、原則的にはまったく無関係であるが、実際上は密接な関係を保ちつつ発展し、スターリンのソ連共産党に対しては、組織的には一大敵国に成長していた。

ソ連とドイツの間に結ばれた謎の条約ラッパロ協定の精神を一言で要約するとこうなる。第一次大戦に敗れたドイツは、ベルサイユ条約によってがんじがらめにされて手も足も出ない。陸軍はわずか七個師団一〇万に制限され、飛行機、戦車、重砲を持つことは許されない。軍団を編成することもできない、参謀本部は解散させられてしまった。これでは、近代軍隊としてまったく体《たい》をなさず、一旦緩急あるとき、どうしようもないのである。

この点を、ドイツ軍再建にかける、ゼークト将軍を筆頭とするドイツ軍首脳は憂えた。しかも、フランスをリーダーとする連合国の締めつけは、あくまでもきびしく、ドイツ軍に少しでも不穏の動きがあれば、すぐにも攻めてきそうだ。そうなれば、とてもルール占領ぐらいではおさまるまい。今度こそは、ドイツ軍は完全に息の根を止められてしまいそうだ。いかにすべきか。

一方、新設ソ連軍の悩みも、これに劣らず大きなものがあった。近代軍隊としての基礎が、まったくないのである。ツァーのロシア帝国の軍隊からして、近代陸軍としてはすでに時代おくれのものであった。当時、規模においては世界一であったロシア軍の戦力は、戦前においてはずいぶんと期待されながら、いざ戦端を開いてみると、ドイツ軍やフランス軍のような、当時の最先端をゆく軍隊にくらべるとはなはだしく劣るものであり、オーストリア軍にくらべればややまし、といった程度であった。

そして、ドイツ軍との戦闘でも、緒戦におけるタンネンベルヒの大敗以来、負けに負けて、ついにブレスト・リトフスクにおいて、屈辱的な降伏をするにいたる。要するにロシア軍は、ドイツ軍と実際に戦って、近代軍としてその強さを身にしみて思い知らされたのだ。そして、いくら図体がでかくても、近代軍としての素質に欠ける軍隊は、効果的に組織された近代軍の前には、手も足も出ないことを悟ったのだ。

現に、東部戦線のいたるところで、ドイツ軍は、二倍、三倍のロシア軍を苦もなく破っている。とくにドイツ軍の力量をいかんなく見せつけたのが砲兵であった。システム的に組織されたドイツ軍砲兵の前には、旧式なロシア砲兵は、まったくなす術《すべ》をもたなかった。

機械力なき軍隊はもう時代おくれだとロシア人は知った。また、軍隊の指揮能力という点においても、ロシア人はドイツ人に遠く及ばなかった。当時、世界有数といわれた帝政ロシアの軍隊においてすら、このありさまであった。

それが、革命によって、ツァーの将校がほとんど去った今となっては、ソ連軍の指揮能力の低下は、今さらいうだけ野暮である。

こんなこともあった。戦後いち早く独立したポーランドを赤化すべく、ポーランド共産軍を助けて、ソ連軍はワルシャワに迫った。そして、ポーランドにおける共産政権の樹立もまぢかにあるかにみえた。

これを見て驚いたポーランドの保守勢力は、フランスのヴェーガン将軍を指揮官に招聘《しょうへい》して、これをむかえうった。兵力比からいえば、共産軍は保守軍の五倍以上である。兵器もはるかにまさっていた。

しかし、いざ戦端を開いてみると、共産軍は、ヴェーガン将軍のたくみな戦闘指揮の前にたちまち総くずれとなって、ポーランド共産政権樹立の夢は、ワルシャワ郊外にむなしくも消えてしまった。

要するに、労働者あがりの将軍などは、歴戦の本物の武将の前には張り子の熊よりもみじめだ、ということがソ連指導者に明らかになったのだ。

新設ソ連軍には何もなかった。兵器もなければ技術もなく、戦術・戦略の訓練もなく、将軍もいなかった。早く何とかしなければならない。そうしなければ、ソ連邦は、連合した反革命勢力のために蹂躙《じゅうりん》されてしまうであろう。

このようなソ連側の必要と、ベルサイユ条約のもとで苦吟するドイツ側の必要とが、一九二二（大正十一）年のラッパロにおいて結びつくことになった。

ドイツは、もとより敵であるが、尊敬すべき敵である。しかも今や、より強大なる帝国主義国家英仏にいためつけられているのだ。ここに、秘密同盟のチャンスは開かれた。有無は相通ずるのだ。

依然として世界一の潜在実力を有するドイツ軍は、新生ソ連軍に軍事技術を教え、強大な赤軍の建設に協力する。これなくしては、ソ連軍が近代軍として誕生することは不可能であろう。ドイツ軍は、その見返りとして、ソ連において、ベルサイユ条約で保有を禁じられた武器の実験をし、要員の鍛練をする。これは、双方にとって有益な、というよりは、むしろ必要不可欠な取引であった。

無敵の関東軍を破ったドイツじこみのソ連将軍

このラッパロ協定が、独ソ双方にとって、どれほど有益なものであったかは想像を絶するものがある。

一九三三（昭和八）年一月三十日、ヒトラーが政権をとると、たちまちドイツ再軍備がスタートする。空軍再建宣言、ベルサイユ条約廃棄、ラインラント進駐と、やつぎばやにドイツの再軍備は進んで、一九三九（昭和十四）年九月一日、ついに第二次大戦の幕は切っておとされる。この間、わずかに六年半である。

この短期間に、小国ポーランドによる侵攻すら恐れなければならなかった一〇万のドイツ軍は、ヨーロッパ最強となり、あいつぐ電撃戦によってポーランド軍を鎧袖《がいしゅう》一触し、不落といわれたマジノ線を突破して当時世界一といわれたフランス陸軍を破り、ダンケルクに英軍を全滅させて、英国を降伏一歩手前まで追い込んだ。

ドイツ軍にこのような強大な力を養うことを可能にしたものこそ、じつにラッパロ秘密協定であったのである。

この協定があったればこそ、ベルサイユ条約において厳禁されていた飛行機も戦車も、ヒトラーが天下をとるやいなや、たちまち復活した。それどころか、それ以前には影も形もなかったドイツ機械化部隊とドイツ空軍とによって、ヨーロッパの国々は軒なみに蹂躙されることになる。ラッパロ協定の効果、まさに知るべきであろう。

しかし、ラッパロ協定の効果は、むしろ、ソ連側において、より大きかったのではなかろうか。ドイツ軍の場合には再建であったのであるが、ソ連軍においては、何もかも新しくスタートしたのだ。新しい軍事技術と訓練とによって、ソ連軍は、きわめて強力な近代軍へと育ってゆく。といっても、それ以前のソ連軍がまったく存在しないわけではないから、質的にいって、二つの要素の混在したものとなった。

その一つは、ブジョンヌイ、ティモシェンコなどに代表される、旧《ふる》い弱いソ連軍である。そして不思議なことに、というよりは必然的にというべきか、スターリンは、この旧い弱いソ連軍に近親感をもつようになる。

そして、もう一つは、新しい強いソ連軍である。これは、トハチェフスキー、ジューコフなどに代表され、ラッパロ協定によって派遣されてきたドイツ将校団によって育《はぐく》まれたものである。

日本人ならだれしも、ノモンハン事件を知っているだろう。一九三九（昭和十四）年、満蒙国境ノモンハンにおいて、第二十三師団は全滅し、無敵関東軍の神話はやぶれた。火炎ビンでソ連戦車を撃破した歩兵や、九七戦をかってイ－15やイ－16をやつぎばやにうちおとした航空兵のような、いわば無名戦士の輝く武勲はあった。しかし、全体として大敗を喫しただけでなく、せっかくの空の優勢も少しも活用しなかったというような、日本にとってよいところの一つもない戦闘であった。

関東軍ともあろうものが、どうしてこんなにぶざまなドジを踏んだのだろう。敵を見くびりすぎていたとか、おごりたかぶる心が強すぎたとか、いろんな批判はあるだろうが、より本質的には、日本軍における情報処理能力と補給《ロジスティックス》の前近代性がこの悲劇を生んだものと思われる。

それと同時に忘れてならないことは、日本軍の相手となったジューコフのひきいるソ連軍が、日本軍の予想を上回る近代軍であったということである。陸空の協力作戦、戦車の大量一時投入、補給の整備など、どれ一つとっても、日本軍の従来の予想を上まわるものばかりであった。つまり、ソ連軍は、日本軍の予想を上まわって強くなっていたのだ。これでは大敗も当然ではなかろうか。ジューコフの指揮ぶりはそれほど見事であったが、このジューコフこそ、新しい強いソ連軍の代表であり、いわば、ラッパロの申し子であったのである。

ソ連のなかの〝ドイツ〟を恐れたスターリン

ソ連軍に対するラッパロの影響力はこのように大きなものであったから、ソ連軍のなかに、隠然たるドイツ勢力が植えつけられることになった。元来、ロシアはドイツの影響の強い国であった。

ロシア最後の皇帝ニコラス二世からして、半分以上ドイツ人の血がまじっている。十九世紀の中ごろ、ロシアにおける薬剤師と家庭教師はほとんどドイツ人だといわれた。また、ロシアじゅうどこへ行っても、ドイツ人のコロニーが見られた。

こんなわけだから、ロシアにおいては、ドイツ人はたいへんに尊敬され、ロシアのインテリはドイツ語を重んじた。その証拠に、レーニンの主要著述はドイツ語によって書かれ、ロシアの首府は、大戦勃発《ぼっぱつ》まで、ペテルスブルグとドイツ名で呼ばれていたではないか。

このような背景のもとに、ソ連軍がドイツ式に建設されていったのだから、いたるところに、ドイツ風が蔓延《まんえん》していったとしても不思議ではない。ただ、ここで注意しなければならないことは、いくらこのような親独的風潮が蔓延したといっても、そのことと、この風潮のなかにいるソ連将校が祖国を裏切ってドイツのスパイになるということとは、まったく別なことだ、ということである。

たとえば、日本人においても、親米的であるということと、アメリカのスパイになるということとはまったく別のことだ。戦争中、吉田茂は親米英的であり、反戦主義の理由で憲兵隊に引っ張られたが、べつに彼がアメリカのスパイであったわけではない。そんなことは、彼の政敵ですら信じはすまい。それとこれとはまったく別なことであって関係のないことである。

ところが、スターリン書記長にひきいられる当時のソ連共産党においては、この相違は、じつはどうでもよいことであったのである。スターリンも、本心ではこんなことは信じてはいなかったであろうが、そんなことも、じつは、どうでもよいことであったのである。ここに、組織論的論理の恐ろしさがある。

つまり、ソ連陸軍のような巨大な組織集団が親独的な骨格によって編成されているということ自体が、スターリンを筆頭とするソ連共産党にとっては重大な事件であって、その将校が、実際にスパイを働くかどうかということは、しょせん、二次的なことにすぎないのである。ソ連において、共産党とソ連陸軍という二大組織が単なる分業と協同の関係に立ちつつ併存することはありえない。共産党が勝つか、軍部が勝つか、二つに一つしかないのである。共産党は、すでに早くから政治将校を派遣して軍の支配をもくろんだが、もしソ連軍が共産主義以外の原理によって再編成されるとなると、党の軍に対する支配は不可能にならざるをえない。

とくにこのことが、スターリンのソ連共産党によって重大であるゆえんは、赤軍の建設者はトロツキーであり、彼の影響力は、まだ必ずしもソ連から一掃されていなかったことである。

ひところ、レーニン＝スターリン主義という言葉があり、スターリンこそレーニンの正統な継承者であるという見方もあるが、細かくみてゆくと、レーニンとスターリンとでは相当にニュアンスを異にする点が少なくない。

その一つの点が、レーニンが国際派であるのに対し、スターリンのほうは生粋のロシア派であることだ。ロシア的国粋主義には、レーニンも悩まされたらしい。ロシア各地に点在するドイツ人のコロニーを一つにまとめて、ドイツ共和国といったものをつくって革命の拠点にする、といった着想すらあったらしい。この着想は、まったく実現されることなくしぼんでしまったが、レーニン＝トロツキー的感覚からすれば、ドイツ化された赤軍などというのは少しも不思議ではないのである。

ところが、こんなものが身の毛もよだつほど大嫌いなのがスターリンだ。彼は、ラッパロ派とはちがったティモシェンコだとか、ブジョンヌイだとかいった旧式の将軍と仲がよかった。これらの将軍は、スターリンに犬のように忠実だったといわれるが、そうでない将軍など、スターリンのソ連共産党にとって存在価値はない。ドイツ路線をふりまわして独自の路線をゆく将軍など、いてもらっては困るのだ。たとえ彼らがどれほど有能であり、どれほど祖国に忠実であったとしても、そんなことは、ソ連共産党の組織原理からみてどうでもよいことだ。彼らは、すみやかに抹殺《まっさつ》されなければならない。

このようにみてくると、いまだに史上有名な、ヒトラーのユダヤ人のジェノサイドにも比すべき、スターリンの血の粛清は起こるべくして起こった、といわざるをえない。それは、共産党の組織原理と赤軍の組織原理との、まっこうからの対立にほかならない。個人としてのスターリンの恣意《しい》によるものでは断じてない。

このスターリンの血の大粛清からも明らかなように、組織原理――組織の構造的要請あるいは機能的要請によって、人びとが意識づけられ、これによって行動すること――は、ソ連のような共産主義国においても貫徹するのである。もちろん、その貫徹の仕方は、資本主義国と大いに異なるが、それがともかくも立派に貫徹することに変わりはないのである。

2 みずからの弱さを知ったソ連軍が危ない

国は滅んでも軍事産業は守らねばならない

巨大な軍事産業は、独自の集団意志をもち、それは組織原理によって決定される。組織原理の第一は、まず存在しつづけなければならない、ということである。

第一次世界大戦によってドイツ帝国は解体された。しかし、その最大の軍事産業クルップは残り、やがて死の商人として大活躍することになるのだが、このことは、ソ連における死の商人に関してもあてはまる。

軍事産業は、まず、在《あ》らねばならない！ 軍事産業は、当代最高の技術水準をもたなければならず、その開発のためには多大の年月を要し、一朝一夕に成るものではない。〝ローマは一日にして成らず〟というが、この言葉ほど、軍事産業の性格を的確にとらえている表現はない。

練りに練った技術の積み上げのない軍事産業など児戯《じぎ》にひとしい。兵器にかぎっては、つねに最高水準のものでなければならず、セコハン（中古品）で間に合わせるわけにはゆかぬものである。それも、辺境のゲリラならばいざ知らず、大国間のパワー・ゲームにおいては、こんなものは無にひとしいのである。破産して、もう一度出直すことがまったく無意味である産業があるとすれば、それは、軍事産業である。長いあいだ積み重ねた技術とノーハウが破産しているあいだにすっかり旧式になっていれば、資本と人間とをなんとかしてもう一度つめ直しても、まったくどうにもならないのである。破産とは資本主義国の話であるが、社会主義国においても、存在を中断された軍事産業など、遅刻したテレビ出演者よりもみじめである。

なにがなんでも存在しつづけなければならない。これが、資本主義社会であると社会主義社会であるとを問わず、軍事産業の致命的要請である。

第一次世界大戦でドイツ帝国そのものが滅亡したときにおいてすら、ドイツ人が、いかに軍事産業の温存に熱心であったか。社会民主党政府をはじめとして、ドイツ人は、世界に冠たるドイツの軍事産業を、連合国の目をかすめて、ロシアをはじめとするヨーロッパ諸国に分散して保存することに熱中した。帝国は滅んでもまた興るであろう。しかし、ひとたび滅んだ軍事産業を生きかえらせることは、まったく新しくつくるのと同等の時間と労力とが要求される。ドイツ人はこのことをよく知っていた。

そして、ドイツ人は、ホーヘンツォルレルンをはじめとする二十二の王冠を一つとして救うことができなかったが、軍事産業を救うことには見事に成功した。これが、再軍備後わずか六年でヨーロッパ最強の軍隊をつくりえた秘訣《ひけつ》の一つである。

ラッパロ協定によって、ドイツの身にしみる指導をうけたソ連が、このことの認識において他国におくれをとるはずはないのだ。

その存在を絶対的に保証された軍事産業は、それだけですでに巨大な社会的事実であり、重く深く、社会全体にのしかかることになる。こうなるともう国家・社会の必要とは関係なしに、動かしえないものとなる。

アメリカですら、クライスラー救済のために特別の国家的措置をとろうとしたではないか。資本主義国のアメリカで、国家が一企業を救うために金を出すなど、本来、スキャンダルもいいところである。

競争に負けた企業などは自由に倒産させればよい。これが自由競争市場における責任のとり方であり、この原則があればこそ、市場機構《マーケット・メカニズム》は経済活動における最適性を保証しうるのである。これを欠いた市場機構などというものは、つばさを欠いた飛行機みたいなものであって、本来、ものの役に立つ道理がないだけでなく、納税者の税金をこんなことに使うのは、正真正銘まじりっけのないスキャンダルのはずである。

ところが、クライスラーの場合にかぎって、このあたりまえすぎるような正論が、成立しないのだ。クライスラーは、あまりにも巨大でありすぎ、それが倒産するとなると、影響の及ぶところは、あまりにも広く大きく、アメリカ経済全体をゆり動かしかねないからだ。こうなると、クライスラー経営の責任が何であり、原理原則が何であっても、アメリカ政府は万難を排してクライスラーを救わなければならない。そして、アメリカ国民も、好むと好まざるとにかかわらず、これを支持しないわけにはゆかなくなってくる。

巨大企業が社会的事実となれば、すべてこの論理が支配する。国家・社会にとって、それが役に立とうと立つまいと、何びともその存在をいかんともしがたくなってくる。こうなると、全身に転移した癌《がん》にも似てきて、癌と仲よく共存する以外に身体が生存しうる方法はなくなってしまう。癌を除去でもしようものなら、身体そのものが死んでしまうのだ。

これが、社会的事実となった産業の正体である。たとえそれが全然役に立たなくなったとしても、まったく手のつけようがないのである。まして、なんらかの意味において社会的機能を果たしている場合には、それだけで、それは強大な圧力団体と化すであろう。その代表的なのが軍事産業である。

昭和初年の不況のとき、播磨《はりま》造船所は倒産しそうになったが、その軍事的価値のゆえに政府はその救済を試みた。同じころ、台湾銀行——これは特殊銀行であり、いわば、台湾における日銀みたいなものと思えばよい——すら見殺しにした日本政府が、である。

どんなに財政的に苦しくとも、軍事産業を見殺しにすることはできないのである。播磨造船所など、日本経済全体からみれば、非常に小さな存在である。それにもかかわらず、政府の態度はかくのごときありさまである。最近の同じような例が佐世保重工だ。それが、国家の死活を制するほどの大企業であったらどうか。この問いには、答えるだけ野暮であろう。日本にはそんな巨大な軍事産業は存在しない。が、それが存在するのがソ連である。

ソ連軍事産業の全経済に占める比率と位置はきわめて大きい。こうなると、ソ連軍事産業は、圧力団体どころか、ソ連の主権者の観すらあるのだ。

ルーズベルトとチャーチルがいなかったらソ連は消滅していた

なお、これまで述べてきた一般論のほかに、ソ連の政府と国民とが、軍事産業を極端に重視する特別の理由がある。それは、独ソ戦における苦い経験である。

終戦後三十五年、戦争を知らない子供らも成人となってきたが、それでも、日本人の戦争の傷跡は依然として深い。原水爆に対して条件反射的な拒否反応を示すことなど、その著しい例だろう。日本人は、この戦争において、二百万人も死んだのだ。しかし、これにくらべてすら、独ソ戦における爪跡は、はるかに深くソ連人の心にきざみこまれている。ソ連においては、独ソ戦は歴史上の出来事ではなく、ほんの昨日のことなのだ。

あの戦争において、二千万人のソ連人が殺されたといわれるが、ここで驚くべきことは、殺された人数だけでなく、殺され方と殺された場所である。多くのロシア人は、SS（ナチス親衛隊）によって、拷問の末、もっとも残酷な方法で虐殺された。それも、兵士の不法行為による偶然によってではなく、ドイツ政府の決定に基づく計画によってである。これがロシア人に対して、どんなに深刻な印象を与えたかは想像にあまりある。

ヒトラーは、ロシア人を、蝿《はえ》のように繁殖する劣等民族と呼び、皆殺しにしてもさしつかえないと考えていた。モスクワなど、降伏を許さず、住民もろともすりつぶしてしまうことすら考えていた。だから、もしドイツが勝っていれば、実際に殺された二千万人以外のロシア人も、皆殺しにされたかもしれないのである。

独ソ戦における敗北、これこそロシア人を悩ましつづける夢魔でなくて何だろう。しかも、独ソ戦における独軍勝利のチャンスは少なくとも二度あり、そのいずれの場合においても、ドイツ軍は勝利の一歩手前というよりはむしろ半歩手前まできており、ソ連が助かったのは、むしろ偶然ともいうべき僥倖《ぎょうこう》であった。

その最初のものが、一九四一年の冬であった。ドイツ軍は、北方のレープ集団軍、中央のフォン・ボック集団軍、南方のルンドシュテット集団軍と、三方からいっせいにソ連に侵入し、怒濤のごとき進撃を開始した。

そして、緒戦から数ヵ月、ソ連軍は一度も有効な反撃をなしえなかった。ソ連軍は、片はしから攻撃され、殲滅《せんめつ》され、降伏した。師団は、あとからあとからと消滅していった。もっとも悪いことには、ソ連の重要な工業地帯が次から次へとドイツ軍の手に落ちていったのである。

その結果、十一月になると、ソ連の工業生産力は半減した。なかでも、軍事産業において、ひどかった。石炭の六八パーセント、鋼鉄の五八パーセント、アルミニウムの六〇パーセントがドイツ占領下にあるのだ。とくに、戦車などの近代車輛に不可欠なボールベアリングとなると、その生産力の九五パーセントが失われた。

これでは、ソ連の戦力が枯渇していったとしても無理はない。経済的にいって、ソ連の屈服は時間の問題であると思われた。

この、ソ連の運命がまさにきわまりかけていたときに、旱天《かんてん》の慈雨のごとくに与えられたのが、アメリカ大統領ルーズベルトによる武器援助である。これは膨大なものであり、これによってはじめてソ連軍は立ち直ることができた。

もちろん、当初は、この援助に対するアメリカ国内の反対も強かった。独ソ戦初期においては、アメリカはまだ連合国側に立って参戦はしていなかったから、ソ連を助ける義務もいわれもない。アメリカに反共主義者は多かったから、対ソ援助への批判も強かった。大統領がルーズベルトでなくて、もう少し反共色の強い人物であったならば、ソ連はためらうことなく見殺しにされたことであったろう。この意味で、幸運はロシア人の側にあった。

アメリカだけでなく、チャーチルにひきいられる英国もまた、経済的にソ連に援助の手をさしのべてきた。チャーチルは名うての反共主義者である。しかし、彼は、ヒトラーと戦うために生まれてきたような男であった。ヒトラーと戦うことに彼の生きがいのすべてがあった。

マールボロー公の子孫であるチャーチルは、若いころ、つねに生まれてくるのが遅すぎたことをくやしがっていた。せめて、ピットの時代に生まれあわせれば、ナポレオンのような大英雄と戦えたのに、と。そこに現われたのが、ナポレオンにも劣らぬ一世の天才児ヒトラーである。

チャーチルは、こおどりして喜んだ。そして、ナチスが弱小であって、だれも注意さえしなかったころから、その恐るべき力と脅威について、英国民に警告しつづけた。もちろん、だれも耳をかたむけない。ヒトラーが天下を取った後では、彼こそ平和の公敵なりとして、つねに対独強硬政策を主張した。ミュンヘン会議における対独和解に大反対であるのはいうまでもない。そして、チェンバレンの優柔不断によってノルウェーがドイツの手に帰すといった危機的状況によって政権を手にすると、天馬空をゆくような大車輪の活躍が始まる。

彼の目的はただ一つ、めざすヒトラーを打倒すること、これだけである。彼はもとより、骨の髄までの反共主義者である。しかし、ソ連がヒトラーの敵となったとき、彼は少しもためらわなかった。そしていった。「私は、もしヒトラーが地獄に攻めこんだならば、下院に行って、悪魔のために有利な演説をするであろう」と。かくて、大英帝国によるソ連援助は決定された。

ここで注目すべきことは、今日のみじめな小英国をもって当時の大英帝国を想像してはならない、ということである。当時の英国は、世界の七つの洋《うみ》の支配者であり、領土は世界最大、世界最強国とされていた。一九四〇年の時点においては、あいつぐ対独敗北によって、その威信低下は著しいものがあったが、なんといっても、腐っても鯛《たい》である。その軍事力、経済力には、まだまだあなどりがたいものがあった。

他方、ソ連は、あいつぐ五カ年計画遂行後とはいうものの、技術的、経済的には、遠く英米に及ばなかった。その英米が本気になってソ連を援助しようというのである。主要工業と多くの重要資源地帯をドイツ軍にとられてしまったソ連としては、まさに天来の福音であった。

ここで、歴史の〝もし〟を考えてみて、もし、アメリカの大統領がルーズベルトでなかったら、イギリスの首相がチャーチルでなかったら、ソ連はいったいどうなっていたろう。戦略的ということはしばらくおき、ソ連は軍事産業の致命的部分を奪われてしまったという、まさにそれだけの理由によってでも、敗北はまぬかれなかったろう。そして、独ソ戦における敗北は、とりもなおさず、ヒトラーの奴隷になることである。このことを想起しただけで、ソ連人はゾッとするにちがいない。肌に粟《あわ》が立つことは千に一つまちがいないのだ。

最後の望み、T34戦車を守った三つの〝もし〟

ところが、米英の援助によってソ連の危機が去ったわけでは決してない。軍事産業のなかでもとりわけ重要な兵器産業は、ほとんどモスクワ周辺に集中しているのだ。
これをドイツ軍に取られたら、ソ連はもうどうしようもない。

兵器のなかでも、独ソ戦において、ことに重要な役割を演じたT34の工場は、当時はことごとくここに集中していた。当時、英米、とくにアメリカの戦車は未発達であって、ドイツ軍の新鋭M4やM3にとうてい敵《かな》わない。せっかくもらってもドイツ軍に負けるのは目に見えているのだ。

当時、ドイツ戦車を上まわる戦力をもつ戦車は、ソ連のT34だけであった。しかも、T34の強さはずばぬけていた。ドイツ軍の対戦車砲をもってしては、装甲が撃ちぬけないのだ。だから、ドイツ軍がT34を撃破しようと思えば、ノモンハン式の肉弾攻撃しかなかった。ソ連兵はまぬけで、T34の光学兵器は劣悪で、車長の視界も狭かったから、しのびよって爆薬でドカンとやるのだ。それにしても、戦車による電撃戦で全世界をうならせたドイツ軍がこんなことをしなければならなくなったほどにT34は強かった。

ヨーロッパ電撃戦の花形といわれたM3戦車など、T34の前ではおもちゃよりは少しまし、といった程度であった。M3の37ミリ砲弾をT34はことごとくはねかえしてしまうのに対し、T34の76・2ミリ砲弾は、一発でM3をしとめることができた。

連戦連敗で、ドイツ軍の猛攻の前に手も足も出なかったソ連軍に、ただ一つの希望があるとすれば、それはT34戦車であった。もし、その工場がドイツ軍に取られてしまったら、ドイツ軍は強いうえにも強くなり、もはや、当時の英米からもらったいかなる兵器をもってしても、その軍団に深手を負わせることは不可能になるだろう。モスクワ攻防戦に負けたら、それによってもたらされる政治的威信の致命的失墜は別にしても、兵器供給という一点にだけ問題をしぼっても、ソ連軍は戦闘継続がまったく不可能となるのだ。

一九四一年十二月初頭、フォン・ボックの中央集団軍はモスクワに迫った。その偵察大隊は、クレムリンの尖塔が肉眼で見える地点にまで進出した。ドイツ軍は、三方からモスクワを半円形にとりかこみ、世界の軍事専門家も、スターリンを除く多くのロシア人も、モスクワ陥落は時間の問題だと思った。

ちょうどそのとき、二つの奇跡が起きた。未曽有の寒波が来襲したことと、ジューコフにひきいられる無傷のシベリア軍団の精鋭が到着したことである。

おそろしい寒さによって、ドイツ軍の機関銃は単発銃となり、戦力の中心である戦車はエンジンが凍って動かなくなった。それどころか、防寒具を持っていないドイツ兵は、凍傷にかかってバタバタとたおれだした。

この好機をのがさず、ジューコフは果敢な攻撃を加えた。ジューコフこそ、ラッパロの成果を十分に吸収した、新しい強いソ連軍の代表的武将であり、その指揮能力はドイツの将軍にも劣らないのである。ドイツ軍は、ここにはじめて対等の敵を見いだすことになった。

他方、この恐ろしい危機に対処したヒトラーの戦争指導も、卓抜したものであり、ドイツ軍は絶望的状況を克服して、一八一二年のナポレオンのグランタルメーとはちがって、総くずれになることはなかった。致命的といえるような打撃をうけつつも、なお強大な軍隊としてモスクワ近郊にとどまることになる。しかし、モスクワは救われ、ソ連軍の生命線ともいうべき兵器産業は救われたのであった。

ここにおいても、三つの〝もし〟をめぐって、ソ連人は戦慄《せんりつ》するにちがいないのだ。もし、寒波の到来が一週間おくれていたら。もし、ドイツ軍がユーゴスラビア征服などで手間どらずに六月二十二日ではなくて五月に侵攻を開始していたら。もし、レープやルンドシュテットが、レニングラードやウクライナに行かずに、ボックと合流してモスクワ攻撃に専一していたら？

この三つの〝もし〟のうち、ただ一つでも実現していたら、膨大ではありながら指揮能力と訓練においてドイツ軍とは比較にならないソ連の全野戦軍は、モスクワ近郊において破滅的打撃をうけ、ソ連の兵器工場のほとんどすべてはドイツ軍の手に帰していたことは疑いないのである。

日本軍は北上しないというゾルゲ情報がソ連を救った

それに、〝もし〟はもう一つあるのだ。もし、ゾルゲが日本軍は北進することなく南進の予定であるという日本最高の機密を盗むことに失敗していたら、どうであろう。ジューコフとシベリア軍団とは極東を去ることはできなかったにちがいない。たしかに、当時のソ連極東軍は、関東軍に対して三倍の優位を保ってはいたが、ソ連軍が日本軍を恐れることは、たいへんなものであった。それはじつは、ノモンハンの戦闘による。といえば皮肉に聞こえるかもしれないが、事実そうなのである。ノモンハンの戦闘において、わが陸軍首脳の行動は、よいところの一つもないぶざまなものであったが、戦士の勇戦敢闘は特筆される必要がある。そして、このことを評価したのがソ連軍首脳であり、とくにジューコフであった。

つまり、ノモンハンにおいては、日本陸軍は最悪の条件のもとで戦ったのであった（このような条件のもとに戦わせたことこそ、じつに軍首脳の責任なのである）が、それにしては、よく戦った。

しかも、中心的な戦闘単位であった小松原師団は、訓練不足の、いわば関東軍における最弱師団であった。関東軍の精鋭兵団は、戦闘に参加していないのである。最弱兵団が最悪の条件のもとで、火力、兵力ともに圧倒的に優勢なソ連軍の精鋭に対して、あれだけの抵抗を示したこと、ここにジューコフは、日本軍の恐るべき強さを見た。

敗れたとはいえ、日本軍は、歩兵対戦車の戦闘としてはずいぶんと善戦した。このことは、ほとんど対戦車兵器を持っていなかったことを思いあわせると、驚異ですらある。ポーランド軍やフランス軍や、独ソ戦前半のソ連軍とはちがって、一度も総くずれにはなっていないのである。

このことを、ジューコフは高く評価した。その証拠に、彼は、第二十三師団を全滅させながらも、そこで進撃を中止する。報復戦のために手ぐすね引いて待ちかまえている関東軍主力との決戦を避けたのであった。

そこでもし、関東軍に北進の意図ありとすれば、ジューコフもシベリア軍団も動けなかったにちがいない。もしそうだとすれば、ドイツ軍が寒波によって凍りついてしまったとしても、まぬけ将軍にひきいられた疲れはてたソ連軍が、首尾よくモスクワを防衛しきれたかどうか、はなはだ疑問だといわなければなるまい。

このことを考えるたびに、ソ連人は背筋が寒くなることだろう。

これが、一九四一年の話である。ソ連の危機はもう一度あった。そして、今度も軍事産業と結びついた危機だ。が、今度は、兵器産業ではなく、石油産業である。ジューコフのおかげで、一九四一年冬、モスクワは危機を脱するが、ソ連領内におけるドイツ軍は依然として強大であり、占領地は広く重要な部分を占めている。ソ連軍の次の課題は、なるべく早くドイツ軍を追い払うことにおかれることになった。

そこで、ソ連軍は勇猛果敢な攻勢に出た。しかし、ドイツ軍の防御作戦は巧妙をきわめ、さしものソ連軍の大攻勢も、いたるところで大損害をともなって連破され、一九四二年の夏のころともなると、ソ連軍の戦力は枯渇していった。

この条件のもとで、ドイツ軍の大攻勢が開始された。パウルスの第六軍はスターリングラードをめざし、クライストの第四軍はウクライナをめざした。両方とも石油産業と関係が深い。ドイツは、バクーの油田がほしかったので第四軍をウクライナにさしむけたのであったが、スターリングラードをねらった理由も石油にある。スターリングラードを押えてドン河の石油の運送を止めてしまえば、ソ連における石油供給の大動脈はふさがれ、ソ連経済は枯死することになる。頸動脈を切られたようなものだ。

このときも、ソ連は危なかった。はじめ、ドイツ軍の電撃戦《ブリッツ・クリーク》は、もう一度よみがえったかにみえた。ソ連が苦心してつくりあげた新鋭の諸師団は、ドイツ軍の猛攻の前に、あとからあとから消えてゆき、ドイツ軍はソ連軍をけちらしつつ、予想外のスピードで前進し、あっというまにパウルスは、スターリングラードに迫った。そして、激闘の末、十月末にはスターリングラードの大半はドイツ軍の手に帰すことになる。

スターリングラードの死闘は歴史に有名なところ、このたびもソ連は、やっとのことでドイツ軍の虎口を脱することになる。激戦のさなかにおいては、もはや暗号を組む余裕もなくて、スターリンの『レーニン主義の諸問題』をもって、暗号帳にかえなくてはならないほどであった。

スターリングラードがドイツ軍の手に落ちたら、ソ連の石油産業は、ピタリと止まるところであった。

このことを思いだすにつけても、ソ連人はふるえあがるにちがいない。

ソ連人は第二次大戦から何を学んだか

ところで、ソ連人にとっては、第二次大戦は遠い歴史の過去のことではない。やっと昨日のことなのだ。

このような歴史的経過とそれに対するソ連人の貢献を思うとき、ソ連における軍事産業の歴史的重みと、それがソ連社会に占める意義とが理解できよう。

以上を要約すると、次のような、気が遠くなるほど、うっとうしいソ連の歴史の重圧が明らかになってくるのだ。

（1）ソ連は、その軍事産業が奪われることによって生命が失われる危機に二度も直面している。

（2）この二度の危機は、天佑神助ともいうべき偶然と、ソ連国民の必死の献身、および何びとの空想をも上まわるほどの膨大な犠牲によって、はじめて克服されえた。

このような場合において、人びとは軍事産業に対して、どのような感情をいだき、軍事産業は、ソ連社会に対して、どんな地歩を占めるであろうか。

こうなると、軍事産業は、単なる国民経済の一部分ではない。それは、歴史における偉大なるモニュメントであり、国民感情の拠《よ》りどころにさえなってしまう。

すでに述べたように、ソ連における軍事産業は、もはや社会的事実であり、自己法則性を有する巨大な組織である。それが、歴史のなかの偉大なるモニュメントになったとき、どんなことが起こるか、その社会的深刻さについて、何びともの予断を絶するであろう。　要するに、それは一種のビヒモスなのだ。この怪獣が、どんなにあばれまわっても、もはや人びとは、いかんともすべき術《すべ》はない。

旧約聖書の二匹の怪獣、リヴァイアサンとビヒモス

ビヒモスとリヴァイアサン。これは旧約聖書にでてくるメス・オスの怪獣の名前である。『リヴァイアサン』とは、ホッブスの主著の名前であるが、このことの意味するものは、次のとおりである。

近代主権国家は、怪獣のように恐ろしい。その理由は、どんなことでもすることができ、しかもそれが正当化されるからである。これが〝絶対主義〟というものであり、絶対主義は、近代においてはじめて成立しうる。

古代、中世における専制君主は、一見どれほど強大な権力を手中に収めようとも、それは伝統主義の上に立っているにすぎず、絶対主義とは、ほど遠いものである。これに対し、近代国家における絶対君主は、そんなものではない。彼は、「宇宙における神が絶対であるがごとく、彼の領国の中においては絶対であるのだ」。まるで、有名なキリストの山上の垂訓を思い出すようである。正当性は、絶対君主が行なうから

こそ付与されるのであって、事前に決まっているものでは、決してない。

聖書にいう。「主かくのごとく、律法学者のごとくでなく、預言者のごとくのたまいしとき、群衆ことごとく驚きたり」と。たしかに、群衆にとって、これは驚くべきことにちがいなかった。彼らにとって、それまで権威とは、トーラ（モーゼ五書）以外にはありえなかったのである。そして、律法学者の役目とは、このトーラをときほぐすこと以外にはなかったのであった。キリストが絶対者であるという理由は、まさにトーラ以外の権威をみずからうちたてたことによる。聖書における福音は、そして山上の垂訓は、なんらかの規範があるがゆえに正しいとされるのではない。それは、キリスト——神の子であるところの、ジーザス・クライストがいったがゆえに——ただそれだけの理由のために正しいのである。

だれでも知ってるだろう。絵本においてもカードにおいても、キリストは天を指さして民に教えをたれている。こんな構図は、日本では珍しくもなんともない。教祖さまというほどに偉い人物であってみれば、自分の弟子に教えをたれる。日本ではあたりまえのことが、ユダヤ教においては、とんでもないことなのだ。

それにもかかわらず、ジーザス・クライストは自己の意見を述べた。これは、本来、あってはならないことである。律法学者の場合にあっては、書かれた文書に権威があるのに対し、キリストの場合には、キリストの言葉なるがゆえに権威があるのである。

ここに、正統性創造の契機がみられる。

近代における絶対主義とは、まさにこのようなものである。絶対君主とは、その領土内では、神が宇宙におけるごとく絶対の権威をもちうる人のことをいうが、要するに、王の言動は、キリストのように、行なうことがすなわち正しいのである。だからこそ、近代においてはじめて、立法ということが可能となるのである。

古代、中世においては、法は発見すべきものであって、人間がつくるものではありえない。正統性の創造の契機をもつ近代絶対主義にあってはじめて、立法は可能となる。

換言すれば、近代絶対主義とは、人民の生殺与奪の権を完全ににぎった、怪獣のような恐ろしい制度である。このことを、ホッブスはリヴァイアサンと表現した。これに対し、ナチス権力の恐ろしさを研究したノイマンの主著は、同じものをビヒモスと表現しているが、ナチスと近代デモクラシーに発展する国家——ちなみに、近代デモクラシーもまた絶対主義の一種にほかならない——とのちがいは、リヴァイアサンとビヒモス、要するに、怪獣のオス・メスのちがいというだけにほかならないのである。

貧乏を追放できなかった共産党の弱み

説明が長くなってしまったが、巨大な組織と化し、社会的事実となり、国民の神聖な財産となったソ連の軍事産業は、ビヒモスのごとき存在となり、もはや、何びとの力をもってしても動かしがたいものとなる。それがなすことはすべて正しく、客観的な規範によってその是非善悪を評価することは、もはや許されない。こうして、軍事産業は、その組織的要請に従って、思うがままにふるまうことになる。

ここで注意しなければならないことは、このような巨大軍事産業の組織的要請は、共産党の組織的要請と矛盾する、ということである。まっこうから対立する、とさえいってよかろう。

共産党の組織的要請とは、先進資本主義国に追いつき、追いこすことである。もっとわかりやすくいえば、貧乏を退治して、国民の消費生活のレベルを、先進資本主義国の消費生活レベルよりも高めることである。

このようなことをいえば、今日ではかえって変に聞こえるかもしれないが、共産党が出てきたもともとの発端はここにあったのである。

河上肇《かわかみはじめ》に『貧乏物語』という著述があるが、その主旨は、先進資本主義国は全体としては富み栄えているが、その富の分配は不平等であり、どんなに富んだ国にも必ずあわれな貧者がいることを指摘している。この著において彼は、べつに科学的解決法を示してはいないが、要するに、共産主義の効用は貧乏退治にあり、貧乏が退治できないようでは、その存在価値はないのである。そして、貧乏退治とは、先進資本主義社会における労働階級よりも、より高い生活を保証することである。

これは、共産主義の理論からして当然すぎることである。彼らの主張によれば、社会主義は資本主義よりも、より高い経済の発展段階なのであるから、どうしても、より高い経済の生産性を証明する必要があるのである。その結果、国民生活もより豊かになる。

それゆえ、先進資本主義に追いつき追いこせない社会主義などというものは、本来の理論からいえば、脚気《かっけ》の相撲とりのようにまのぬけた存在であり、ナンセンス以外の何ものでもないはずである。

ところが現実はどうか。結果をいうだけ野暮というものだろう。かつて、フルシチョフは、ソ連経済は一九七五年までにアメリカ経済を追い抜く、と公約したが、今日のソ連人で、ソ連が経済競争でアメリカを追い抜くなどと考えている者は一人もいないだろう。それどころか、すでに日本に追い抜かれ、西独に抜かれる日も、そう遠いことではあるまい。

かつて、フランス共産党は、すべての労働者の鍋《なべ》には肉を、すべての労働者の家には車を、ということをスローガンにしたのではあったが、こんなことは、日本などの先進資本主義諸国においては、とっくに実現してしまったが、これがソ連で実現するのは、いつの日になるのか、見当もつかない。

結局、ソ連は経済競争に負けたのだ。しかも、もっと悪いことには、そのことを自認しなければならない立場に追いこまれている。

最近におけるソ連や東独の学者の論文を読むと、もうだれも、社会主義は資本主義よりも経済的にすぐれたシステムだ、などといいはしない。それどころか、効率ということに関するかぎり、市場機構はもっともすぐれたシステムである、などといいだす学者も出てくるありさまである。

では、社会主義が資本主義よりすぐれている点は何か。それは道徳の面にある、と彼らは主張する。アメリカなどの先進資本主義国における、さまざまな犯罪やスキャンダルや、ポルノなどを挙げて、こんなものが存在しない点にこそ、社会主義諸国の面目はある、と論ずるのである。彼らの主張の当否は別として、こんな話を聞いたら、さぞ、マルクスやレーニンはびっくりして目をまわすにちがいない。

このことと対比してか、共産主義諸国においても、マルクスの経済学は学問として重視されなくなってしまった。どのホテルにも置いてある、ギデオン協会のバイブルみたいに、だれでも安く手に入るのがとりえだが、社会科学の本としては、もうすっかり時代おくれになってしまっている。

私の友人のあるマルキストは、ロシアから帰ってきて、ソ連の経済学は、マルクス主義経済学から近代経済学になってしまったといって嘆いたが、『資本論』の論理では、計画経済は動かないのである。経済計画を科学的に立案し、これを実行するためには、投入産出分析、リニア・プログラミング、エコノミック・アクティビティアナリシスなどの近代経済学の分析用具が必要となってくる。

つまり、経済学においてもマルクス主義は完敗したのである。

このように、経済競争において完敗し、経済学において完敗したとなると、共産党の組織的要請の達成は絶望的なものとならざるをえない。せめてもの救いは国民の生活水準を向上させることであるが、そのためには、かぎられた資源をこちらのほうにまわさなければならない。ところが、このことは、肥大化した独占的軍事産業の組織的要請と矛盾する。まっこうから対立する。

この矛盾は拡大再生産され、そのダイナミズムは、深刻にソ連全体をゆさぶり、外に向けての帝国主義的侵略となってあらわれるのである。

臆病なソ連が、先に一流国を攻めることはない

ソ連の脅威というとき、ソ連は強いからあばれるのだ、と思っている人が多い。八五年危機説というのがこれだ。一九八五年に米ソの軍事力ギャップは最大になるから、これを利用してソ連が行動をおこす、というのだ。

これほど、ソ連人の思想と行動を知らない論理はない。ロシアは、攻めて行ったり、辺境で闘ったりすれば、必ず負ける。かのピョートル大帝すら、三倍の兵力をもって、チャールズ十二世にこてんぱんに負けているではないか。クリミヤ戦争、日露戦争みな大敗している。しかし、受け身になると強い。アウステルリッツやフリードランドでは、ナポレオンにけちらされたが、モスクワまで引きこんでしまえば、もうソ連のものだ。

ソ連は、三倍の兵力があろうと五倍あろうと、ともかくもある程度強い敵とは絶対に闘わない。これがソ連行動の公理である。この点、日本やドイツとは根本的にちがうのだ。

第二次大戦のはじめ、ドイツ軍は大挙して西部戦線で大攻勢に出た。ベルギー、オランダ、ルクセンブルグはあっというまに席巻され、英仏軍がそっちのほうに気をうばわれているあいだに、グーデリアンの戦車隊は通過不可能といわれたアルデンヌの森を通過して、一路カレーにむけて進撃を開始する。これで、不落を誇ったマジノ線も張り子同然となり、フランス軍が対戦車戦術を思いついたころには、予備兵力はつきはてていた。ダンケルクの悲劇で、英国も滅亡の淵《ふち》に立たされた。

なんでこんなにうまくいったか。ヒトラーとマンシュタインの天才もあるが、方法としては、断固として兵力の逐次投入を避けたからだ。ヒトラーは、ソ連人と正反対の博打《ばくち》が大好きな男だ。ドイツ軍の戦力はことごとく西部戦線に投入され、ノルマンジーの広野で独仏軍が決戦をしているころ、独ソの東部戦線には、〝税金を取り立てることができる〟程度の軍隊しかいなかった。

このとき、ソ連が背後からつけば、ドイツは一コロである。第二次世界大戦は一九四〇年の時点で終結し、二千万人のソ連人は死ななくてすんだであろう。しかし、スターリンはこれをやらなかった。それほどソ連は臆病な国なのだ。

対日戦でも同様である。ソ連極東軍は、第二次大戦中つねに、旧満州にいた関東軍に対し、三倍から五倍の兵力をもっていたが、ついに攻めてくることはなかった。挑発したのは、日本軍のほうであった。

ソ連が対日宣戦をしたのは、日本が沖縄で敗れ、本土はB29と潜水艦でメチャメチャにされ、原爆を落とされて力がつきはてたときであった。もう少し早く宣戦していれば、獲物ははるかに大きかったのは目に見えている。

一九四三年夏のヨーロッパのクルスクの大決戦の後には、もう独ソ戦の山は見えていた。とくに、四四年はじめのレニングラード解放後には、ソ連軍は十分に余裕はあった。まして、ノルマンジーに第二戦線が結成され、関東軍の精鋭がフィリピンに去った後には、勝負のほどは火を見るより明らかであった。しかし、ソ連は八月まで宣戦はしてこなかった。

彼らは、ほんの少しでも冒険をすることを好まないのである。

ソ連が攻撃をしかけた敵をみるがよい。バルト三国、フィンランドなど、鎧袖《がいしゅう》一触の敵に限定される。戦後も、ポーランド、ハンガリー、チェコ、アフガンなど、反乱鎮圧程度だ。相手が中国ともなると、軍事専門家のだれが見ても、絶対優勢が明らかなのに、ソ連軍は決して動こうとしない。

まして、ちょっとばかり優勢になったとしても、みずから進んでアメリカに決戦をしかけることはない。

だから、ソ連が強ければ、世界は安全であり、平和は保てるのだ。

ソ連には、中国・日本コンプレックスがある

問題は、ソ連が弱くなったときである。弱くなったことをソ連が自覚して、絶望したときが危ない。

ビスマルクは外交の天才であったが、彼の夢魔は、〝カウニッツ連合〟にあった。カウニッツは、マリア・テレサの外相である。彼の辣腕《らつわん》によって、フリードリッヒ大王のプロイセンは、ロシア、オーストリア、フランスに三方から攻撃され、もう少しで息の根をとめられるところであった。ビスマルク外交のねらいは、どんなことがあっても、ロシア、オーストリア、フランスの同盟を成立させないことにあった。二十八年の彼の努力は、すべてここに集中された。

ソ連にとって、カウニッツ連合にあたるものは何か。それは日米中の同盟である。ソ連人の中国恐怖はたいしたものだ。モスクワ大公国は、元の家来のキプチャク汗国のそのまた家来であったのだから、コンプレックスは大きい。彼らは、中国人をキタイ人つまり韃靼《だったん》人だといっておそれる。韃靼人の中でも、とりわけ獰猛《どうもう》なのが日本人

だというわけだ。

そんな連中が集まって、同盟ができかかっていると、少なくともソ連人にはみえてしまうのだ。日中友好条約締結のとき、ソ連は火がついたようにおこった。こんな内容もない条約ができるのに、何をそんなにおこるのか不思議だが、彼らには、これは日中ラッパロ条約にみえてしまうのだ。秘密軍事同盟がないはずはないとソ連はみる。たとえ今なくても、すぐにできるにきまってるだろう。それに、アメリカも仲間入りしたらどうなる。ソ連人は、考えてみただけで身の毛がよだつのだ。

それに加えて、イギリス、フランス、西ドイツ、世界のワールド・パワーはみな西側だ。ソ連の与国に、一つも大国はありはしない。どんなに心細いか想像に絶しよう。かのヒトラーすら、三国同盟が成立したとき、これではじめて、われわれは日本という軍事大国を仲間に持ったといってよろこんだが、イタリアなんかは目ではないのである。ところが、ソ連の同盟国といえば、みなイタリア以下なのだ。

弱いソ連と官僚の独走がかさなると危ない

ソ連が本当に危ない国になるのは、ソ連のこの心細さが、国内における深刻な矛盾によって点火されたとき、すでに硬直しきっている軍事産業の官僚組織と連動することだ。そうなると官僚組織は自己法則性をもって動きだし、だれの力をもっても止まらなくなる。すべての人が平和を熱望しつつ、大戦争がおきることになるのだ。丸山眞男《まるやままさお》教授がみごとに分析したように、第二次大戦まえにおいて、日本の指導者はだれも戦争を欲しなかった。しかし気がついてみたら大戦争がはじまっていた、というのである。そんなばかなというかもしれないが、これが、自己運動を開始した組織というものである。

第一次大戦のときもそうであった。戦後、戦争責任論がやかましくなって、ドイツのカイゼル一派がしくんだのだ、という意見も戦後しばらくはなされたが、相当に時間がたって、みんな冷静になり、資料も出そろってみると、各国の指導者で戦争を欲した者など一人もいなかった。みんな平和のために必死の努力をしていた。

しかし、硬直した組織が自己運動を開始すると、もういけない。とくに、ドイツの官僚組織は、ビスマルクのような巨人の力量に合うようにできてしまっている。ひとたび動きだせば、ベートマン・ホルウェーヒ程度の凡庸な宰相は、たちまち、その流れにひき殺されてしまうのだ。

サラエボの一弾でオーストリアがセルビアに最後通牒《つうちょう》を出すと、汎《はん》スラブ主義の盟主たるロシアは動員を開始する。そうすると、ロシアの動員がおそいとの前提のもとで成り立っていたドイツ参謀本部のシェリーフェンプランは、すぐにも始動しなければならない。そこで、ドイツ政府の最後通牒がペテルスブルグにつきつけられるということになってしまったのだ。まるで自動マシンのようではないか。

現在ソ連の組織は、スターリンの巨大な力量に合わせてつくられている。竜騎兵の靴みたいなものだ。これは常人の足には合わない。ひとたび動きだせば、ブレジネフであろうが、だれであろうが、もう止められないのだ。

このたびのアフガン事件にさいして、ブレジネフの指導力の低下などを論ずるが、そんな単純なものではあるまい。硬直しきった官僚組織は、ひとたび動き出せば、ころがり出した大理石の巨柱のごとく、もう、何びとの力でも止められないのだ。そして、すべての人の意志を圧殺して、自己法則性をつらぬいてゆく。

3

日本を滅ぼす
〝平和・中立〟の虚構

国家の行動原理には二つのものがある

この章では、日本をめぐる国際政治の問題を考えてみよう。日本は一国で生きているのではない。もちろんソ連もそうだ。それなのに、とくに日本人は、国際政治の感覚がまるでずれていると思うからだ。

さて、国家の行動原理には二重性格がある。ソ連の場合で考えてみよう。

一つは、米ソという二つのワールドパワーの一つとしての一般的な行動、およびソ連そのものが昔からもっている特殊なパターンである。もう一つは、ソ連の社会的、経済的発達段階から必然的に要求される、国家利益にそっての行動である。

ワールドパワーともなれば、好むと好まざるとにかかわらず、世界的規模で国際政治に責任を負わざるをえない。これはワールドパワーの特権であり、義務である。と同時に、ソ連が一国家としての主張、つまり自国の利益優先という立場も当然ある。世界の両統治者の一つとしてのソ連と、国家利益にもとづくソ連とは明らかにちがうわけである。

現在のソ連の課題は、この二つの役割を合理的にうまく果たし、成功させるかという点にある。

ワールドパワーには、世界的な規模で国際政治に責任を負う義務があるが、弱小国にはそうした役割はない。特権もないかわりに、義務もないわけだ。国家利益だけで行動しても、だれも非難しないし、それですんでいる。

それでは日本はどうすればよいか。日本はそのどちらでもない。要するに地域パワーなのである。したがって、世界的な規模で国際政治に責任をもつ義務はない。しかし、国家利益だけからの行動では、世界が許さない。少なくとも限定的、地域的な、ある程度の責任を負わなければならないというのが、日本の立場だ。

日本人というのは非常に国際政治にうとく、ワールドパワーといい、国家利益といっても、まったく無関心である。個人の場合でいうと、ふつうのサラリーマンが急に大会社の社長になれば、当然、行動が変わらなければならない。国の場合も同じである。

たとえばイギリスだが、十九世紀から二十世紀の初めにかけては、世界最大のワールドパワーであった。その行動は国家利益だけではなく、世界全体に対する責任のうえからなされていた。イギリスの一国家としての利益と、ワールドパワーとしての責任というのは、まったく矛盾していたが、結局はワールドパワーとしての責任をとった。

第一次世界大戦のときも、そうであった、ところがチャーチル内閣以後のイギリスは、ワールドパワーをやめてしまい、国家利益のみを追求するようになってしまった。アメリカは逆である。十九世紀には単なる一つの国で、アメリカの国益だけを追求していればよかった。しかし、第二次世界大戦後はまったく異なり、ワールドパワーとしての行動に変わったのである。

ところが、日本だけがその区別をしない。第一次大戦後の日本というのは単なるローカルパワーではなく、一種のワールドパワーになっていた。日本はそれがまったくわからず、国際社会での責任を負うことをしなかった。

たとえばパリにおいて、日本の西園寺《さいおんじ》全権は〝沈黙全権〟といわれていたほどだった。そうしたいっぽう、昭和二年、ギリシャの特使が日本にきて、当時の田中義一首相に、自国の態度を細かく長々と述べたところ、田中首相は「この男は馬鹿じゃないだろうか」といったという。はるかに遠いギリシャの問題など、日本にとって関係はない。そんなことを日本にきて、わざわざいうなんて馬鹿だ、というわけだ。日本の国際政局に対する認識は、その程度だったのである。

地域的国家としての日本の責任と、ワールドパワーの責任とを混同していたともいえるが、これは現在の日本でも変わりがない。

アフガン事件の責任はアメリカにある

ソ連が侵略的だ、攻撃的だというが、これは日本の付き合い方が悪い場合が少なくない。それと同じように、ソ連が悪いといっても、他の国が悪い場合も多い。

たとえば、アフガニスタンにソ連が出てきて、ソ連が悪いというが、これはアメリカが悪いのだ。ソ連が出てきたら、アメリカは「なぐり返すぞ」という態度をはっきりさせないから出てくるのである。ソ連にしてみれば、「はいってきていけないのなら、どうしてそれを早くいわないのか」ということなのだ。

ソ連が実際にアフガンに入ってしまってから、シッポに火をつけられた猫のようにギャーギャー騒ぎはじめるなんて、カーターは馬鹿じゃなかろうか、とソ連は思っている。

現にソ連は、七八年十月にアフガンと友好善隣条約を結んでいるではないか。これこそ、曲者《くせもの》なのであり、ソ連の常套《じょうとう》手段だ。バルト三国もこれでやられた。また、ケッコーネンをはじめとするフィンランドの指導者が、四九年にソ連におしつけられた相互援助友好条約を骨抜きにし、これを実質的に中立条約にしてしまうために、どれほど骨身をけずったか、カーターは少しでも考えたことがあるのか。

　この条約が生きているかぎり、ソ連に食われると思って、まずまちがいない。この条約の主旨は、要するに、力の真空が生じたら、ソ連軍が親切にも手をさしのべてきて、その真空をうめてやろうというのだ。あとは、チャンスの到来を待つだけではないか。こうして準備完了のところで、アメリカはアフガンから出ていったのである。ここに力の真空はできた。ソ連軍出撃、である。

　十九世紀以来、アフガンは英・露係争の地だ。ここに力の真空ができては、どちらもこまるのだ。私がソ連の指導者であったとしても、侵入する以外に方法はない。

　したがって、日本も、何かされて困るなら、ソ連にはっきりいわなければならない。それをソ連に対する挑発だとか、日本が主張すればソ連は逆に強硬な態度をとる、などというのは論理の逆立ちした議論というしかない。まず、はっきり主張するというのが、相手を理解し、安定した関係を保つための基本的条件なのである。

　日本にやってきたカトリックの宣教師に、こんな話を聞いたことがある。日本の女性は怖いという話である。日本の女性と接触した場合、宣教師も人間だから、心が動くこともないとはいえない。それで、ちょっと一押ししたけど抵抗がないので、二押ししてみた。それでも抵抗がないから三押しする。結局、最後まで抵抗がないので困りますねえ、ということだった。抵抗してほしいのに抵抗しない。それで怖いという
のである。

ヨーロッパの女性なら、一押しでノーという人もいるし、二押しでノーという人も
いる。二人の力関係で、これ以上は絶対にダメだという力の限界がはっきりしている。
むろん、限界のない人もいるが、段階的にシグナルを送り、最後の関門から三つ目ぐ
らいでイエスといえば、もう最後はＯＫだと暗黙の了解のようなものがある。

日本以外の国では、そうしたことが常識になっているのに、日本の女性はずうっと
抵抗せず、最後の一線になるとノーという。外国で日本女性が殺される事件はよくあ
るが、そのように力の限界があいまいなことによる場合が圧倒的に多い。

日本の外交も、それによく似ている。刺激してはいけないと抵抗せずにいながら、
最後の一線だけノーという。その結果、殺されてしまうわけである。

ソ連のほうにすれば、これ以上いけば侵略国になるから抵抗してほしい、という一
線がある。抵抗してもらえば、国内の強硬派を押えることができるから、抵抗してほ
しいと思っているのに、最後までノーといわないので、そのまま出兵してしまった、
ということもありうる。

日本ほど、自国の覚悟、態度を明確にソ連に知らせていない国は、ほかにない。したがってソ連は日本が何を考えているかわからず、対日政策に頭を悩ませているわけだ。

先制降伏をとなえる日本の防衛論の低次元ぶり

最近、わが国でも防衛論がさかんになってきている。しかし、それらの議論は、抽象的かつ、あまりにも低次元なものが多すぎる。

たとえば、「もし、外国から侵略されたら日本は先制降伏してしまえばよい」という意見がある。これには、日本が降伏すれば、降伏によって戦争そのものが終わるにちがいない、という前提があるわけだ。しかし、今後の戦争のさまざまな可能性を考えてみても、日本が降伏し、占領されることによって、時間的にも戦争が終結するという可能性は、ほとんどない。

おそらく太平洋戦争の印象が強すぎるために、先制降伏といった意見が出るのだろう。だが当時と現在とでは、根本的なちがいがある。太平洋戦争当時の日本は少なくとも軍事的にワールドパワーの、もっとも強力な一員であった。

しかし、この次の戦争ではそうではない。かりに戦争が起こるにしても、日本が主役になるということは、もう考えられない。あくまでも副次的な形で戦争に巻き込まれる、ということだ。だから、日本の交戦の意志をくじき、日本を自国の権力下に編入しても、それで戦争が終わるわけではない。

日本が降伏しても、戦争が継続されることは確実だ。その侵略国は、事後の、戦争継続のために日本を利用するにちがいない。その運命からは、日本は絶対に逃げられないのである。日本人がソ連軍として出兵させられることもありうるのだ。

この例をみてもわかるように、日本人はいつも、問題の本質からかけはなれた議論ばかりしたがる。なぜであろうか。

その原因は、日本人の法的なものの考え方が国際社会と根本的にずれているためである。

とくに国会における議論は、防衛問題にかぎらず、法律的偏向の議論があまりにも多い。野党議員が政府を攻める常套《じょうとう》手段だが、ほとんどの場合、「こういうことは法律的にできないはずではないか」という。

立法府だから法律の議論をするのはかまわないが、しかし議会の機能というのは、立法機能のほかに、民主的に行政府をコントロールする点にある。つまり、政府の政策をコントロールすることだ。

したがって、たとえば日本に対して他国からの侵略があった場合、戦闘行為をしていいか、悪いかという法律的な議論よりも、いかなる政策をとるのかという論議をすべきである。

かりにどのように侵略されようと、いっさい無抵抗で、最初から戦闘行為はするべきでない、という議論をしたいのなら、いいか悪いかは別にして、それは政策論議にしなければならない。

「法律的にできないはずだ」などという次元の低い議論をしてはいけない。

一億総木《こ》っ端《ぱ》役人化現象が日本をあやまらせる

なぜ、そうした議論が起こるのだろうか。これは〝一億総木っ端役人化現象〟の結果である。もともと行政というものは、法律の範囲内でやるべきもので、それを越えてはいけない。当然だが、原則どおりきびしくやってもらわなければいけない。

ところが政治家は、上に立って政治的な決定をするのが役目なのに、その役目を放棄して、みずから木っ端役人になり下がってしまい、「これは法律的にできない」などといっている。要するに政治的な責任をとるのがいやで、法律的な責任へ逃げ込んでしまっているのである。

現在の法律が悪いのであれば、つくり変えるというのが政治家の責任だ。そこまでいかなくとも、法律にはポリティカルな側面と、プロシージャルの側面とがある。ポリティカルというのは裁量的、政治的ということで、これは政治家が責任を負う。プロシージャルは専門的知識を使っての実務ということであるから、これは役人に任せておけばいい問題である。しかも、プロシージャルのほうは、最終的な決定者は議会ではなく、裁判所になる。

そうしたことに関して、議会がいくら議論をしてもどうしようもないのである。さらに国会では、すべて役人に答弁させて、政治家は答弁しない。実際上、政治の機能はほとんどないというのが、現代の日本の姿ではないのか。

一九七七年、西ドイツのジェット旅客機がハイジャックされたさい、ドイツの特殊部隊がソマリアの空港に派遣され、あっというまに攻撃し、解決してしまった。その当時、日本では「ドイツはいかなる国内法によって派兵したのか」という議論ばかりをしていた。

むろんドイツには、いざというときに特殊部隊を外国へ送り込み、救出作戦をやってもよいという国内法はない。重要なのはソマリア政府の許可を得るということである。

しかし、日本はいつも逆立ちした議論をして、国内法がどうだという点ばかりを問題にし、相手国の承認を得ることの重大さに思いが及ばない。この〝法〟に対する根本的な考え方が問題なのである。

法というのは、いわば主権あっての法である。したがって、〝超法規的〟という考え方が、すでに日本人の法の理解の欠如を示しているといえる。

日本人は、法というものは条文のことだと思っている。せいぜいで、判例と慣習法のことだと思っている。つまり実定法しか念頭にないということだが、これは大きな誤りといわなければならない。

実定法は法のほんの一部であって、法というのは主権の表現、国家の意志の表現であり、実定法に不備のある場合は、暗黙のうちの法規があるものなのだ。

したがって緊急の場合には、国家主権にのっとる暗黙の法規が発動される。

もっともわかりやすいのが、ビスマルクの例である。ドイツ帝国以前の、プロイセンのころだが、ウィルヘルム一世が軍備拡張をしようとして議会にはかったところ、上院は賛成したが、下院は反対した。

そこでビスマルクは、予算の決定には上院と下院の賛成が必要であると、憲法に書いてある、ところが上院の意見と下院の意見が一致しない場合のことは何も書いていない、したがって、これは憲法上の欠陥であり、憲法に欠陥がある場合には当然、王の主権が発動される、と解釈して、予算を成立させ、軍備拡張を実現してしまった。すなわち法律が明確でない場合には、当然、国家の主権が発動されるということだ。日本における防衛論が低次元である、もうひとつの理由は、日本人が国際法というものをあまりにも知らなすぎるためである。

外交当局や政府が壊滅したときの用意が必要だ

たとえば、憲法上、戦争放棄をしている日本において、降伏というのは、どのような手続きで、だれが行なうのか。

その時点で日本政府が体をなしていて、合理的な判断のうえで「降伏したほうがよい」と決定し、少なくとも手続きの点でも対外的に問題がないとすると、自衛隊に降伏の命令、つまり戦闘行為を停止する訓令が、まず出されなければいけない。

日本の国内法上、緊急事態の場合でも、自衛隊が戦闘行為をしてよい、という形のルールはない。しかし、日本も主権国家の一員であり、国際上は主権国家が対外的に戦闘行為をすることは、ある一定のルールの制限のもとに認められている。したがって国際法上、敵が日本に攻めてきた場合、自衛隊がなんらかの形で戦闘行為をすることについては合法であり、まったく問題はない。

それでは国内法上、なんらの法規がないから違法なのか、という問題が次に生じてくる。これまで政府首脳、学者などは、戦闘行為については当然ダメだという。しかし、国際法上で正当なことを、国内法上当然に違法とする論理は、少なくとも明示的な国内立法をしないかぎりは成立しない。

現在、国際社会は百以上の主権国家が並列している構造になっている。あくまでも並列しており、それら主権国家の上級の権威は存在しない。それに頼んで決めてもらうという、上級の権威は存在しないのだ。国連がそうだと思っている人がいたら論外だ。

したがって主権国家は、俗な言葉でいえば、原則的には、何をしてもいっさい勝手だ。唯一《ただ》つだけ守ればいい。それが国際法であるわけだ。

国際法といっても、平時と戦時とでは、それぞれちがった法秩序が支配している。戦争の発生、戦争の終結などはすべて、戦時国際法というルールにもとづくことになっている。

その場合、まず重要なことは、国際法の主体は主権国家であり、その意志を形成し、対外的に主張するのは中央政府であるということだ。つまり、降伏しようにも戦争しようにも、その主体がなくなってしまえば、どうすることもできないわけだ。だから、外国の場合、政府の首脳は地下の大きなシェルターにもぐることになっている。たとえ地上がめちゃくちゃに破壊されても、最悪の場合には地上にはい出してきて降伏することができるし、あるいは戦争を継続することもできる。つまり、意志決定が可能なのだ。

ところが日本では、まったくの雨ざらしで、壊滅した場合にはどうしようもない。最後まで必要なのは、そのような意志決定を可能にする物理的設備と、コミュニケーションの手段なのである。外部とのコミュニケーションの手段を持たなければ、意志決定しても伝えられない。降伏しようもないし、交渉することもできず、友好国と連携をとることも不可能だ。

第二次大戦のときは、最後まで日本の大本営が健在であり、最悪の状態はまぬかれた。そのことが日本人の頭にあるせいか、この次もそうなると思いこんでいるが、これは甘すぎるといわなければならない。太平洋戦争のときには手を打ち、信州の山中に設備をつくった。実際には必要なかったが、そのときですら、そうしたセンスがあったのである。

戦後はそんなセンスはまったくない。これは恐るべきことだ。日本の外交当局や政府が水爆で蒸発してしまうことも、十分にありうるのにである。

天皇、総理、国会の連絡がとだえると、日本は国家でなくなる

次に重要なことは、中央政府の意志決定がはっきりせず、国家意志が形成されないと、国際法では、その国の存在は無視されてしまうということだ。日本の場合、はたして国家意志が正常に形成され、表明され、さらに一般国民の支持を得るような体制ができているかどうか、はなはだ疑問である。

日本における最高の意志決定で、今の憲法上必要なのは、天皇、内閣総理大臣、国会の三つである。これが連絡できなければ意志決定はできない。つまり、憲法上では実際に何もできないといってよい。

たとえば天皇の国事行為として、内閣の助言と承認によって議会を召集するということがある。ということは、内閣と天皇の連絡が断たれれば、議会の召集はできなく

なってしまうのだ。

内閣は召集の主体ではないから、内閣が勝手に召集するわけにはいかない。同じように天皇も、内閣の助言と承認がなければ召集できないのである。

つまり日本の場合はフランスとは異なり、代議士が集まっても議会にはならず、召集されてはじめて議会が成立するのである。日本では法的な手続きを完備する必要があるわけで、物理的に代議士が全部集まっても、それは代議士の集まりというだけで、国会ではないのだ。

したがって、内閣と天皇の連絡が断たれただけで、日本の法的主体はあっという間に失われる。そうなった場合にどうするか。これは非常に重要な問題であるにもかかわらず、そうした規定は何もないし、ないことに気づいて、なんとかしなくてはならないという発想すら出てこない。

戦前の日本では、こうした有事における国家の意志決定を可能にする緻密《ちみつ》な構造ができていた。天皇の非常大権というものがあったために、議会がどうなろうと意志決定することができたのである。

戒厳令があったのも、それゆえのことである。戒厳令は議会が破壊されたり、混乱したりしても、枢密院にたいする諮問《しもん》で発令することができた。しかも諮問だから、枢密院が機能しない事態になれば、天皇の非常大権で、みずからが意志決定することが可能だったのである。

議会や枢密院が機能しなくても、法的には天皇が緊急措置をとることができるようになっていた。したがって戦前は、何がどうなろうと、天皇の意志決定によって何とかなったわけである。ところが現在はそれがない。

さらに戦前の日本では、万が一にも、天皇の崩御などの場合でも、皇位継承順位というのがあって、自動的に即位ということになるから、意志決定が可能であった。ナンバー・ツーの皇太子から始まって、ずらりと決まっていたのである。

その点、現在のアメリカよりも緻密であった。アメリカでは大統領の次に副大統領、下院議長、国務長官というように、十何番目まで順位が決まっている。そうした人たちが全部死に絶えないかぎり、アメリカ国家は最終的な意志決定ができるのだ。

だが、現在の日本では総理大臣が急死し、副総理も続いて死去すれば、いったいどうなるのか、何の規定もない。要するに日本には中枢がないのである。

先にあげた物理的設備に関しては、防衛庁では、中央指揮所を地下に埋める計画を進めているが、それですんだと思っているところに大きな問題がある。それでは国家意志の形成に役には立たない。軍隊だけが独立して動くことを前提にしている、といわれてもやむをえない。

もっとも、日本の自衛隊は、自衛隊法によらなければ動くことができない。したがって総理大臣との連絡がとれない場合、さらに最悪の総理大臣が死去して後継者がだれかわからない場合、いざということになっても、自衛隊は法的に動けないのである。

旧軍隊の場合、非常時にはある程度の独断専行が許されていた。それが悪用されたわけだが、現在の自衛隊では非常時の場合といえども、指揮官の独断専行は認められていない。

自衛隊の上に内局があり、シビリアン・コントロールと称しているが、いざ戦争という場合には作戦指揮はしないし、指揮系統がどうなっているのか、まったく不明瞭なのが現状である。

また、よく〝統帥権の独立〟ということがいわれる。統帥権の独立にはさまざまな意味があるが、もっとも基本的なことは、軍人以外の人は作戦の内容にタッチしないということだ。

しかし、これまで統帥権の独立ということを誤解している人が多く、極端な例では軍隊がいばることを統帥権の独立だと思っている。また、軍隊が政治に口出しするのも統帥権の独立と思っている人もあるが、これもとんでもない誤解である。統帥権の独立とは、要するに、シビリアンは作戦内容に口を出さないということだ。

自衛隊が〝警察〟によってコントロールされているのは問題だ

意志決定をサポートする機関として、国防軍と外務省とは、古今東西を問わず、どの国でも非常に特異な国家機関、政府機関になっている。

ところが日本の場合、戦後に、その特殊性を十分に理解しないまま、つくってしまったために、さまざまな弊害が出つつある。将来、それが顕在化するのではないか。あるいは、それが致命的なことになるかもしれない。

とくに自衛隊の場合、非常に疑問なのは、自衛隊という実践部隊を内局がコントロールするという形になっている点だ。それ自体は問題はないが、問題なのは内局というのは事実上、元警察官僚によって牛耳られてきたということである。つまり、軍隊を警察によってコントロールするという体質になっているわけだ。自衛隊が警察の延長という形でスタートした経緯があるにせよ、基本的に質が異なるだけに、混同した形ではおかしい。

警察というのは、政治的にいえば、時の政権に密着している。それが当然なのだ。しかし、軍隊というのは時の政権から半ば独立したようなプロ集団であり、必ず半歩は政権から距離をおいておかなければならないのである。

さて、自衛隊におけるシビリアン・コントロールは、少し考えると、憲法違反であることがわかる。

シビリアン・コントロールを必要とするような防衛力を持ってはいけない、という規定があるにもかかわらず、国会議員からはじまって自衛隊、国民にいたるまで、堂々とシビリアン・コントロールを話題にしている。シビリアン・コントロールということ自体、厳密にいえば憲法違反なのだ。

なぜなら軍備であればこそ、シビリアン・コントロールということがはじめて問題になりうるからだ。軍備でなければシビリアン・コントロールなどは問題にならない。軍備というのは、国際紛争を解決するための戦争を行ないうるような戦力のことであり、したがってシビリアン・コントロールということは、とりもなおさず憲法違反といえるわけである。

しかも、実質的に統帥権を確立してしまっている。シビリアン・コントロールを行なうのは防衛庁長官と、その下にいる内局だが、内局は作戦業務は行なわないし、戦争が始まると手を引く。これほど大いなる統帥権の独立はない。

そうしたなかで、いくら高い軍艦や戦闘機を買っても、ダメである。根本が憲法違反で、しかも、ろくに機能しないような防衛組織なのだ。

最近、防衛庁、自衛隊を支持するという世論が非常に強くなってもいる。だが、支持するといっても、いざ戦争になったときには、自衛隊よ守ってくれ、ということであって、国民が自分たちと一緒になって守ろうというのではない。これも問題だ。

外務省は首相から独立している必要がある

自衛隊の場合と同様に、戦後の外務省づくりも基本的な点でまちがっていた。外交当局というのは、時の政権から半独立的なプロ集団でなければいけないのに、そのように育っていないのである。

というよりも、事実上、一般行政官庁のような地位しか保っていないし、むしろ時の政権にベッタリな形になっているのではないか、と思える。

外交というのは、そもそも対外的な、渉外関係の次元をはるかに越えた政治的な活動なのである。それゆえに時の政権ではなく、国レベルのものでなければ、十分に機能することができない。事実、世界の主要諸国における外交当局は、そのような集団として育ってきた。

たとえば、イギリスは一つの理念型として引用される国だが、そのイギリス外務省の場合、まず外務大臣は政治家ということで区別され、外務省の会議に出席することができない。かつての外交官であっても、同じことだ。

そのかわり、パーマネント・セクレタリー（次官）以下のプロ集団と外務大臣とは、非常に合理的なルールで結びついている。一例を挙げると、大臣には事務的なファイルを見る権限はないが、事務当局の代表者を通じて、合理的な説明を受けることはできるのである。こういうルールが、すでに確立されている。

日本のように、外務省の書類を、外務大臣に簡単に見せるなどというのは、根本的にまちがいだといってよい。

日本では、首相官邸から「どうも外務省は情報が遅い。けしからんじゃないか」などといわれると、生の情報を持って飛んでいく。これはプロ集団としての外務省が加工し、一定の評価、判断をして、政治レベルに持っていくべきものだ。

生の情報を持っていくと、十分な周辺情報のない人の場合、たいへんな判断の誤りを犯すことは目に見えている。そうした点、日本の社会はあまりにも節度がないと思う。

さらに部内の意志決定でも、幹部会に大臣が出たり、出なかったりする。出ても、だあれも奇異に思わない。これも奇妙なことだ。やはり政治レベルとプロ集団の事務レベルの意志決定の過程が、節度をもってきちんとつくられていないという証拠である。

いわんや、その種類の情報に関して、国会が口を出すのは問題外だ。そういうことをもって国政調査権だと思っているのなら、きちがいじみた話といわなければならない。

日本人だけが知らない戦闘のルール

国際法の中に戦時法規という特異な分野があって、戦争そのものの法的な評価、処理および、それらとはまったく別に戦闘行為のさい守るべきルールが定められている。

現行のルールは、一九〇七年のハーグ陸戦法規と、一九四九年のジュネーブ四条約として成立したものと考えてよい。

その内容は、まず戦争犠牲者の保護で、非戦闘員の取り扱い、戦闘員でもいったん敵の権力内に陥った者、すなわち捕虜の待遇などが定められている。さらに戦闘そのものの規制、つまり戦争の手段方法の規則があり、毒ガスや細菌兵器、ダムダム弾などを使ってはいけないとある。

さらに、その後の国際的経験を考慮に入れ、一九七七年に補完するということで、二つの追加議定書ができた。しかし、これらはまだ現行法とはなっていない。

戦時法規の基本的な理念は、〝ノー・カーシジニアン・ピース〟、つまり〝カルタゴの平和はやめよう〟ということだ。征服者が被征服者を絶滅するのはやめようということだ。

そこには二つの考え方のポイントがある。

第一には、戦争の必要と人道との調和ということがある。戦争だから殺すなといっても無理だが、そのなかで人道的な考慮をしようというのである。

第二に、交戦者平等の原則という考え方だ。つまり、両方が法的、道義的に同じ立場に立ち、同じルールを両方に適用するわけである。

中世には正戦論、すなわち正義の戦いという概念があった。正義側は不正義側の兵士に対して何をしてもいい、という考え方だが、しかし、その後、平等に扱うべきではないか、という考え方が出てきたのである。

戦時法規のミニマムの要件を満たさず、勝手に戦闘行為をした者は戦争犯罪人だから、処分してもかまわないことになっている。

したがって、あらかじめそうしたルールを知らず、そういう教育も、訓練もなく、個々ばらばらに行動した場合、正当な国際法上の保護を失うことになってしまう。そうなると、戦闘行為が終了したあと、敵がとくに意地の悪い場合には、きわめて合法的に海賊か山賊として処理されてしまうのである。

また戦闘員ではない者、一般の市民が敵の権力内に陥った場合、人道的見地から取り扱いが保護されている。一方、保護を受けるにはどういうルールを守らなければいけないか、市民にも義務を課しているのである。これを守らなければ、市民といえども戦争犯罪人の扱いを受け、保護されることはない。

たとえば相手が捕虜の一人を殺した場合、こちら側も殺すぞということは理論的に認められている。これは報復とは異なり、復仇と称されるが、戦時法規の違法行為をやめさせるという歯止めとして認められているのである。

第一次世界大戦のことだが、こういう小説を読んだことがある。ドイツの通商破壊船にゼアドラー号という、わずか五百トンの船があった。商船でありながら暴れに暴れて、連合国を恐怖のどん底に陥れる、という物語である。

このゼアドラー号は「敵の艦隊現わる」ということになると、大急ぎでマストのてっぺんにドイツの軍艦旗を掲げる。こうすると、これは戦闘旗といって、「これから戦争するぞ」という意思表示になり、それ以後の行為は戦争行為とみなされるのだ。もともと軍艦と一般の商船とは区別される。しかし、ゼアドラー号は通常は商船に見せかけて、敵艦の姿を見つけると急に軍艦の本性をあらわす。商船のままでは国際法違反になるので、戦闘行為にはいる前にマストのてっぺんに軍艦旗をかかげる。

このように本性をあらわすということが、国際法上、決定的に重要なことなのだ。本性をあらわさなければ国際法違反で、ゼアドラー号が商船ということで捕まれば、最悪の場合、戦争犯罪人として銃殺されてしまう。あるいは海賊として征伐されても、文句はいえないのである。

太平洋戦争のさい、数多くの日本の漁船がアメリカの軍艦に撃沈された。日本人の意識としては「漁船を撃沈しなくてもいいじゃないか」というが、しかし、アメリカの言い分はちがって、「日本の漁船はアメリカの軍艦を見ると、無電を打つじゃないか。無電を打つことは、戦闘行為だし、だから攻撃した」というのである。

軍艦でなくても、敵の軍艦を見つけて無電を打てば、これは戦闘行為として認められるのだ。したがって、日本の商船に国際法を教えておかないと、そうした場合にいたわしいことになってしまう。

戦時法規のうえで、不正規兵が戦闘員として認められる要件は四つある。

第一は、軍隊の規律の中にあること。つまり無頼漢の集まりではない、ということだ。

第二には、戦闘員である標章《ディスティンクティブ・サイン》があること。すなわち軍服を着ているなど、文民と一見して文民とはちがうとわからなければいけない。文民は保護されるから、文民とまぎらわしい格好をすることは、非常に卑怯な戦闘行為となってしまう。

第三は、公然と武器を所持すること。武器を隠し持って、いきなり攻撃するのはいけない。

第四は、戦時法規を守る意志と、実際に守る知識があることだ。

むろん敵が眼前に迫って、愛国心からにわかに戦闘員になることは、戦時法規上、許されるし、その場合、戦闘員としての四つの要件は多少簡略化される。しかし、はっきりしていることは、戦時法規を守るという意志と能力がなければいけないこと、可能なかぎり、文民、すなわち非戦闘員と一見してちがうなんらかの印を残すことが必要とされる。

そうでなければ、国際法の保護は受けられない。たとえ捕まったときでも、戦闘員の資格があると、捕虜という名誉ある待遇を受けることができる。

日本人は捕虜といえば、名誉のない地位と思っているが、捕虜というのはたいへん名誉のある地位であり、戦時法規を守っているかぎり、捕虜という名誉ある待遇を受けるわけだ。ところが、戦時法規を守らずに戦闘行為をすると、戦争犯罪になってしまう。戦闘をした場合、そのどちらかしかない。第三の道は最初から戦闘行為をしないことで、この場合、非戦闘員として人道的な取り扱いを受けることになる。

いずれにせよ、戦闘員であるのか、非戦闘員であるのか、はっきりした行為をとることが必要だ。非戦闘員であるような、戦闘員であるような行為をとると、致命的になってしまう。はっきりした行為といっても、国際法規を十分に知ってそれが可能になるが、知らなければとんでもない行為になるわけである。

戦時法規を知らないと〝戦闘をしないこと〟もできない

たとえばスイスだが、武装中立の国としてよく知られている。しかし、国民皆兵ということになっており、一朝ことあるときには相当な規模で、一般の市民生活をしている人が軍隊に編成される。そのため、市民の各家庭に一冊ずつ『シビルディフェンス』（民間防衛）という小冊子を配布しているほどだ。

これは平時から国民のすべてに対して、防衛思想を啓蒙《けいもう》するもっとも基本的な文書だが、そのなかの「非戦闘員と戦時法規」という項目に、次のようなことが書かれている。

「もし不幸にして某国がスイスに侵略してきたならば、あなた方は愛国の至情にかられ、武器をもって立ち上がりたいと思うかもしれません。しかし、ちょっと待ってください」

そのように注意をうながし、戦闘参加の手順を述べている。

「戦時法規をわきまえずに戦闘しては、たいへんなこと、すなわち戦争犯罪になります。まず最寄りのスイス軍隊の指揮官のところへ行って、申し出なさい。その指揮官は、正規の戦闘員として認められるような標章をくれます。武器もくれます。そして、その指揮官の規律のなかに入るように、所要の注意を与えるでしょう。それから戦闘してください。そうでないかぎり、これは戦争犯罪になります。絶対に戦闘してはいけません」

また、戦闘に参加したくない人に対しては、こう書いている。

「もし非戦闘員として、戦闘に参加せず、人道的な取り扱いを敵国軍隊から受けたいのならば、その場合には、これも戦時国際法に非戦闘員の守るべきルールがあるので、その最低の知識をもち、それにしたがって行動しなさい」

眼前の敵に向かって、やむにやまれず立ち上がるというのは、愛国心の発露であり、美談のようにみえる。しかし、それにすら国際的なルールがあり、それに違反すれば戦争犯罪にしかならない。この点をよくわきまえるべきだ。戦時法規を知らなければ、戦闘もできなければ、戦闘しないこともできない、ということなのである。

テルアビブ空港事件でみせた日本政府の無知

イスラエルのテルアビブ空港で、日本赤軍が乱射し、無関係な一般市民を殺傷するという事件があった。そのさい西欧先進国のみならず、アラブ諸国の人びとが口をそろえていったことは、あれは国内紛争でも何でもないし、ならず者が何かやったにすぎない、ということであった。

しかし、当人は正当な戦闘行為をやったつもりかもしれない。それにしては戦時法規のミニマムな知識もなかったようだ。何のためらいもなく一般市民を殺傷するとは、驚くべきことである。戦時法規のミニマムな知識があれば、必ずその敵と、敵としてはいけない者を区別しなければならないことがわかるのに、まったく無差別であった。日本の社会はいったい戦時法規の教育をどうやっているのか。何もやっていないのではないか。これはひどい国だ、というのが諸外国の最初の反応だったのである。そのさい、日本から特使が謝罪に行ったが、いったい何を謝りに行ったのかも問題である。謝るなら戦時法規についての教育の不備を謝るべきで、同じ日本人が犯罪を犯したとかということは問題になりえない。

空港の手続きをおろそかにして、連合赤軍を入国させてしまった場合、それはその国の責任なのであって、日本の責任ではない。いわんや、国籍だとか民族が日本人であるということは、まったく問題にならないのである。

教育がなっていないだけではなく、日本政府自体も戦時法規を知らないわけだ。直接関係のある人すら十分な認識がないし、政府はそうした法規の存在すら知らない。日本がいくら平和国家だといっても、一つの可能性として、外国の軍隊が攻めてくるかもしれない。その場合、自衛隊という国防軍があり、愛国の至情から銃をとって立ち上がることもありうるだろう。そのとき戦時法規に合致しなければ、戦争犯罪人とみなされ、いかなる処分を受けても仕方がない、という状況に陥るのである。銃をとらず、降伏して占領政策を受けるにしても、戦時法規のルールを守らなければ、一般非戦闘員としての人道的保護は受けられない。したがって、戦時法規の内容をよく知っておく、ということが重要なのだ。

日本に内乱が起こるというのは不幸なことだし、だれも想定したくはないことだろうが、そうした国内紛争にも、戦時法規は適用されるのである。反乱する側も、取り締まる側も戦時法規のルールを守らなければ、たいへんなことになってしまう。

また、利益保護国という制度がある。これは戦時法規をお互いが守っているかを監視する役として、第三国を指名する制度だ。たとえばA国とB国とが戦争をし、日本が域外にあるとしよう。そうしたとき、日本が平和国家を標榜《ひょうぼう》しているならば、日本こそ指名されることを想定しなければならない。

しかし、日本では戦時法規を組織的に研究しているわけではないし、普及もしていない。そうした状態では、国際紛争を解決にみちびき、平和回復させるという国際的な役割は、技術的に果たしえない。これは平和国家として、もっとも恥ずべきことである。

利益保護国に指名されなくとも、中立国であれば、同じように戦時法規の認識があり、そのルールで行動しなければならない。そうした点だけみても、戦時法規の重大な違反者は日本になるかもしれない。そうならないために、国際社会のルールを守る努力をすべきなのに、現在の日本には、努力する姿勢もないし、認識もないのである。

アメリカを無条件に日本の味方と考えるのは危険

われわれ日本人の最大の欠点は、アメリカという国は、日本が何もしなくても、天然自然のごとく日本の味方であり、アメリカの強大な軍事力は、つねに日本のために無条件で使用される、と考えている点である。日本というのは、そのような無意識の前提のもとで、三十年以上も暮らしてきたわけである。

ところが八〇年代になって、その前提条件は根本的に変わり、極端にいえば、日本はアメリカ最大の敵になりつつある。したがって日本が注意深く行動しなければ、アメリカとの関係は維持できない、という時代を迎えているわけだ。それにもかかわらず、日本人にはこの点の認識があまりにもなさすぎる。

ソ連は脅威であるとか、信用できないとか、ソ連に対する議論は盛んだが、それではアメリカはどうなのかという議論は、ほとんどみられないのである。

日本人のなかには、アメリカは日本を守りたがっているし、日本はアメリカにとって不可欠である、と思い込んでいる人が多い。日本が共産化しないことは、アメリカの利益である、という理屈をいう人もいる。しかし、そうしたことを、アメリカ人でいった人はだれもいない。勝手に日本人がいっているにすぎない。

したがって、アメリカが日本によく相談せずに行動を起こすと、ショックを受ける。たとえばニクソン・ショックなどは、その一例である。

アメリカは自分の国の利益だけを考えて、一八二三年にモンロー・ドクトリンを打ち出したが、それというのもアメリカは自国に石油さえある大きな国で、べつに外に出かけていかなくてもいい恵まれた国だからだ。そういう国に守ってもらうというのは、たいへんな努力が必要なのだということを、日本人はあまりにも知らなすぎる。日本人はヨーロッパとアメリカとの関係というものを、十分に研究し、知っておくべきだ。

キッシンジャーが、最近、「一九八〇年代の中ごろ、アメリカとソ連の軍事力は逆転し、たいへんなことになる」といったところ、日本の学者たちは「それはたいへんだ。アメリカがソ連より弱くなったら、日本はアメリカに守ってもらえなくなるだろう。将来が心配だ」などと議論をしはじめた。しかし、ここには逆にいうと、アメリカがソ連より強ければ日本は守ってもらえるのだ、という楽観論がある。

ところがヨーロッパにおいては一九五〇年代、つまり三十年前から「アメリカは本当にヨーロッパを守ってくれるのかどうか」という議論が盛んに行なわれていた。その結論は「アメリカがヨーロッパを守ってくれないのは、はっきりしている」ということであった。そしてこの三十年間、いやがるアメリカをどのようにして無理やり守らせるか、という工夫をしてきたわけである。

これが日本とヨーロッパとの根本的な相違である。日本には現状認識の根本的な誤りがあるといってよい。たとえばドイツの努力はたいへんなもので、人質論というのさえあった。つまりアメリカ兵を百人でも千人でも捕まえておけば、ドイツに対する攻撃は必然的にアメリカへの攻撃となり、その結果、アメリカは戦争をせざるをえなくなるだろう、という議論を三十年間してきたのである。

日本は逆に、いかにアメリカの戦争に巻き込まれないようにするかと、非現実的な空論を議論してきた。そして、今ごろになってアメリカが弱くなったらどうしよう、というが、これはもう背筋が寒くなるような現状認識というしかない。

日本がこれ以上強くなると、アメリカが黙っていない

安保条約にアメリカの日本防衛義務が書いてあっても、心配でしようがないから多

くの注文を出す、というのが、世界の常識だ。

たとえば日本防衛義務を本当に確実にするために、アメリカの軍隊がきてくれるのか、と念を押す。そのためにアメリカはふだんから駐留していなければダメだとか、軍艦もひんぱんに入港すべきだとか、核を積んだ軍艦がどんどん日本を通過したり、ときどき基地にきているというぐらいにしてほしい、とかいうのが本当の姿である。

ところが、核を積んだ軍艦が日本の領海を通っても困るという。そのような愚かなことをいっているのでは、安保条約はないにも等しい。ソ連はそうしたことを知っている。ソ連にいつでも心配せずに攻めてこい、と招待状を出しているようなものだ。

非核三原則にしても問題がある。ソ連と交渉して、ソ連が沿海州の軍隊を引き揚げ、ロケットを撤去したら非核三原則をみずからに義務づけるとか、というようにすると、売り物になるにもかかわらず、ソ連からの代償は何も得ていない。つまり、国民の権利をただ売りしたようなものなのだ。そうしたことはすべきではない。

また、アメリカの日本防衛義務が発動するのは、日本の領域内、日本の施政権の範囲内において、武力攻撃があった場合となっている。そこで問題になるのは日本の船舶、軍艦だが、これらは条約上でカバーされていない。

ソ連の指導者が利口な男であれば、日本に直接攻撃など仕掛けてこないだろう。

〝日本殺すにゃ戦争いらぬ、油三月も絶てばよい〟というわけで、インド洋で日本のタンカーを押えてしまう。そうなると日本は、あっという間に干上がる。ソ連の高速巡洋戦艦が、日本のタンカーをインド洋で押え、日本に無理難題を吹っかけたら、いったいどうなるだろうか。

たとえば全米相互援助条約というのがある。これはアメリカと中南米二十カ国とが結んだ地域的な安全保障条約だが、これには適用の範囲が明記されている。地球上に線を引き、太平洋のこっちから大西洋のここまでの範囲で起こった武力攻撃は、すべて各加盟国に対する武力攻撃とみなして、自動的に防衛義務が発動するようになっている。日米安保条約とは異なり、きわめて現実的、具体的なのである。

アメリカの対ソ戦略というのは力のバランス、世界平和が基礎にあるが、これはだれでも否定できない。そのなかにおいて、日本はいかなる位置を占めているか、ちがった角度から考えることが重要だ。

たとえば経済的、軍事的に、日本はアメリカの同盟国として必要最小限の力をもっていなくてはいけない。しかし、アメリカの考え方はアメリカの対ソ・バランスを崩すような力をもってもらったら困るし、要するに、どのような力でもいいが、アメリカがコントロール可能な力でなければ困る、ということなのだ。日本人にはこの点が認識されていない。

アメリカがコントロール可能な軍事力、経済力を、日本はぎりぎりまでもってもらってけっこうだということが、アメリカの対ソ・バランスの根本的な安定要因になっているわけである。そこに日本の再軍備の根本的な歯止めがあるといってよい。かりに日本が強大な軍備をすると、アメリカは対ソ連のほかに対日軍備をしなければならなくなる。いま対ソ軍備だけで精いっぱいなのに、そのうえに対日軍備となると、えらいことになってしまう。

アメリカの世界平和の基礎である米ソのバランスを日本がこわせば、アメリカの対ソ外交に支障をきたすだけでなく、全世界的な攪乱《かくらん》要因につながりうるのである。アメリカの戦略からみた、そのような日本の限界を、日本人がどれだけ認識しているかというのも、大きな問題である。

たとえば、日本が航空母艦をもつということになると、それは潜在的に全世界が日本空軍の制圧範囲内にはいるということになる。当然、アメリカの世界戦略は変更しなければならないし、日米同盟の性格も根本的に変わってくるわけだ。

日米同盟を引き金として、アメリカが欲せざる対ソ戦に引き込まれることなど、アメリカとしては避けたいことである。日本が航空母艦をもつだけで、じつにさまざまな波及効果が生じるのだが、そうした点を考える必要がある。

〝非武装中立〟なんてありえない

物理的な軍備、兵力が日本の近辺にある状態というのは、脅威そのものといってよい。北方四島にソ連の基地があるが、これも議論するまでもなく脅威なのだ。つまり、兵力があれば脅威というのが、国際軍事の一つの基本的な考え方なのである。ただ攻撃あるいは侵略の意志があるかどうかが、次の問題として残される。

日本の国内に米軍が存在し、基地があるというのは、理論的にいえば脅威である。それを自由に放っておけば、日本はどうされるかわからない。その脅威を絶対に日本には向けず、とにかく他のどこかに向けようというのが安保条約なのだ。これによって、アメリカの国家意志を拘束しているわけである。

日本人のよく好む言葉に〝中立〟というのがあり、〝非武装中立〟などと使う。しかし、〝非武装中立〟というのは言葉自体、論理矛盾をしている。それというのもこの言葉は、言霊《ことだま》信仰、念力主義のように、中立とみずからを規定し、中立といえば中立が確保できるというような、メンタリティから出発しているからだ。

近代国際社会の歴史をみると、中立政策をとって多少とも成功した例はあるが、残念ながら非武装中立の例は一つもなく、すべて武装中立であった。それが事実なのである。

しかし、先例がなくても、非武装中立はできるのではないか、という議論があるのも事実である。そうした気持ちはわからないわけではないが、理論的に不可能なことだ。

中立というのは、みずからの願望だけでは明らかに不足で、その周辺諸国、関心をもつ国が尊重しないかぎり成立しえない。国際社会はお互いに懐疑心、侵略意志などが入り混じり、非常にあやうい均衡の上に立っている。その間にあって中立を保とうとすれば、周辺諸国の理解と尊重が欠かせない。

たとえばソ連に対して中立を尊重させるためには、ソ連と潜在的に敵対関係にあるアメリカが日本を軍事的に利用しない、と説得する必要がある。これができないかぎり、ソ連は日本の中立を尊重してくれない。アメリカに中立を尊重させるには、ソ連は絶対、日本人の意志だけではなく、客観情勢からいっても日本に軍事的に侵入しない、という保障を与えなくてはならない。これは明白なことである。

敵国が軍事的に占領しないという絶対的な保障に何があるか。それ相応の武力をもち、侵略の事態があれば必ず追い払うという意志と能力を証明しないかぎり、どちらの国からも、信用してもらえないだろう。つまり、理論的には武装中立しかありえない、ということである。

中立政策はフィンランドに学べ

日本がアメリカと同盟をやめて中立するといっても、今度はソ連がはいりこんで、きちっとアメリカを追い出さなければ認めない、などというにちがいない。その場合、どういう態度をとるのか、そこまで考える必要がある。また、日本が単独で阻止できない場合は、ソ連がこれを助けてやるといってくれるかもしれない。

フィンランドの例からいって、必ずそうなるし、それは事実上、中立政策の壊滅である。フィンランドは一所懸命になって、ソ連以外の国がフィンランドを軍事的に利用する場合には、必ず自分で排除するという、意志と能力を証明した。

フィンランドは一九一七年、ロシア革命を機会に独立し、一九一九年に民主共和国を宣言した。ところが一九三九年の対ソ戦争でカレリア地方その他をソ連に割譲、さらに第二次世界大戦ではドイツ側に加わったため、一九四七年のパリ平和条約で、ペチェンガもソ連に割譲されることになった。しかし、一九四七年にはソ連と相互援助友好条約を結び、親ソ友好の中立政策を維持しているわけだ。

結局、フィンランドはソ連圏入りしたわけだが、小国だけに条約交渉は非常に困難をきわめた。ソ連の要求は他の国に軍事利用されるおそれのある場合、軍事援助をする、というものだったが、フィンランドはそれを協議事項としたのである。つまり、フィンランドが同意しないかぎり、ソ連は自動的に軍事援助することをしない、という歯止めをかけたわけである。

したがって、名称は相互援助友好条約となっているが、中身はまったく中立条約なのである。これはフィンランドの政治の知恵である。フィンランドが言葉だけでなく、実際に戦力をそなえ、その意志と能力を証明したために、さすがのソ連も、それ以上押し切れなかったのである。

日本人は、そのようなフィンランド化は困るというが、しかし現在の日本にはフィンランド並みの能力もない。それが事実だということを知るべきである。

一九四一年、第二次世界大戦のさなか、フィンランド軍がソ連軍を徹底的にやっつけたことがある。軍備があれば、これほど強いということを事実で証明したわけで、こうした実績があったからこそ、ソ連が引き下がり、中立を認めざるをえなかった。

フィンランドが腰抜けで、軍備をもたなかったら、中立政策を維持できたかどうか、わからない。

それでは日本が武装中立できるかというと、まずできないだろう。膨大な軍備をみずからもたないかぎり、中立の意志、能力ありとだれも認めてくれない。したがって膨大な再軍備をしないかぎり、中立はできないが、その膨大な再軍備は不可能だからである。

国内的には財政的に無理だし、国民感情がそれを許さない。かりに、それを押して膨大な再軍備をすると、アメリカに対して重大な脅威になるために、アメリカも阻止しようとする。いずれにしても、膨大な再軍備は不可能なのだ。

中立には武装中立しかありえない。しかし、その一方では武装ができない。そこに日本のジレンマがある。

ここで一つの枠《わく》組みの存在を考えないわけにはいかない。敗戦国である日本とドイツとは、枠組みがあるという点で共通している。日本の場合はアメリカに従わなければ、大国の地位が認められないという前提、枠組みがあるし、ドイツの場合はNATOという枠組みがあり、そのなかで再武装をさせてもらった。経済的にはECという枠に押えつけられ、そのなかで繁栄してきた。

日本の場合は、ドイツのように多数国の枠組みはないが、日米軍事同盟すなわち安保条約がある。これは日本を守ると同時に、日本を押えつけるものであり、そのほこ先はソ連などの他の国に向いている。そうした点を、まず十分に理解しておく必要がある。

日本人はその枠組みを知らずにいるために、イランとアメリカとどちらを選ぶか、などという奇妙な議論をしているのだ。

ドイツはECの枠に甘んじている。たとえば貧乏しても農業資金などをたくさん出し、イタリアはそこから借金していばっている。ドイツにとって、それは税金のようなものであり、ドイツはその税金のもとに繁栄している、ということを知っていて黙っている。

日本の場合、そのようなことがあったらたいへんだ。いまだに鎖国状態で、自国のことしか考えない。日本人には軍事的、経済的な根本の枠組みに対する認識がないし、その結果としてしばしば政策を誤るのだ。

たとえば、日本が軍事大国になるためには、ひとことでいうと核をもつことにつきる。しかし、核武装までいかずとも、日本が航空母艦をもつと決めただけで、たいへんな圧力がアメリカからかかってくる。そのニュースが新聞に載ると、日本人はあらたなアメリカ・ショックで、アメリカ憎しという風潮が高まり、急速に日本のファッショ化が進む、ということになりかねない。同時に日本の滅亡速度がますます速くなっていくのである。

日本人はだれもが楽天的だから、軍事費さえ増やせばアメリカが喜ぶというような、非常にワンパターンの考え方をする人が多い。これも日本人の現実認識の甘さである。あるアメリカの学者は「社会党が反対しているのはいいことだ。それで日本はバランスがとれている」と指摘していた。しかし、そうした考え方は日本で紹介されることがない。

一九八〇年代というのは、そうしたことを十分に理解し、バランスをとりながら、どうやっていくか、ということを真剣に考え、実行する大政治家でなければ乗り切れない。

今もはびこる〝念力主義〟

戦争中の日本には「神州不滅思想」というのがあって、日本は神国だから神様が助けてくれると信じられていたし、そう思うことがよいこととされていた。それは日本の現状はなんでもいいことだという、一種の現状肯定の思想、暗黙の了解であった。

しかし、最初から日本人にそうした思想があったわけではない。古代の日本人は、日本には不備なものがあり、それを直していかなければならないと考えていたし、いい日本をつくる積極的な努力がなされていたのである。

神州不滅の思想が徐々にでてきたのは平安時代のころだ。さらに鎌倉時代、元の侵略軍を退けて以来、やっぱり神州不滅だという確信が強まってきたのである。

もっとも悪いのは江戸末期だが、このころには中国に対する劣等意識から神州不滅の思想が強まる。たとえば賀茂真淵《かものまぶち》は、日本の道は自然のままであるからいいが、中国の儒教の道は人工だから悪いというふうに、日本は中国よりましで、いい国だと強調している。本居宣長《もとおりのりなが》になると、日本の道は天然のものではなく、神がつくった、ということになってくる。

なんでも日本のものだからよい、という考え方が強く打ち出されたのである。これは神と自然とを頼りにして、人間の努力は意味がない、という態度でもある。

こうした傾向は、現在の日本人にも強く残っている。たとえば、日本はこういう伝統があっていいんだとか、日本は神州不滅で、現状でいいんだという人が少なくない。そういう人間は劣等な人間、なまけ者なのである。親が大金持ちの道楽息子のようなものではなく、なんら誇ることはない。

もう少し整理すると、神州不滅思想というのは、日本人の二つの面を如実にあらわしている。

一つは、自然と文明の区別をしない、ということだ。しかも、人工よりも自然のまがいいと考える。これは途方もない錯覚であり、日本人特有のものだといってよい。

二つは、現実と願望の混同ということだ。〝念力主義〟ともいえるが、念力で客観情勢を変えることができる、という錯覚があるようだ。

この念力主義というのは、別の言葉でいえば言霊信仰である。本人は意識していないかもしれないが、戦争の話をする人はいけないし、戦争の話をすれば戦争が起こる。戦争のことを考えずに、平和といっていれば平和がくる、という思考をする人は意外に多い。

現在、戦争の研究をしたり、あるいは戦争の脅威を強調しても、軍国主義者だと非難される。さらに平和論者に対して、では具体的にどのような諸条件のもとに平和が現出するかと反論しても、反動だなどといわれる。

論理的に考えると、戦争のない状態が平和である。そうだとすれば、戦争の起こる諸条件を解明せずに、平和のための諸条件は明らかにならない。

戦争はいやだというだけで戦争がなくなるものであれば、何千年も前に戦争がなくなっていていいはずだ。戦争がいやなことだというのは、昔から当然のことだったからである。しかし、戦争はなくならないし、その脅威はますますエスカレートしていく。念力主義、言霊信仰は無力であるばかりか、有害でさえある。

戦争こそ、もっとも合理的な国際問題の解決法

現在の日本の平和主義の状況を仔細《しさい》にみると、一九二〇年代にイギリスで横行したパシフィズムとも非常によく似ている。

このイギリスのパシフィズムというのは、要するに戦争を憎むことによって、道義的に戦争を糾弾することによって、平和がくるという思想であった。当時のイギリスの学生などは、「われわれは絶対に国王のために銃をとることはないであろう」と決議したほどだといわれる。

ところが、結果的には長く続かなかった。どこに問題があったかというと、戦争を過小評価していたことだ。戦争というのは、道義的に糾弾すればなくなる、というほど単純なものではないのである。そうした反省が第二次大戦後のヨーロッパの思想的

な基盤になっているわけである。

では戦争とは何かだが、次元の低いほうからみると、国際紛争の解決手段といってよい。国際紛争が起きたさい、なんらかの解決するメカニズムがなければ、たちまちにして国際社会は大混乱になってしまう。その解決手段には外交交渉や国連の力を借りて調停するとか、さまざまなことがある。その一つとして戦争があるのだが、誤解を恐れずにいえば、もっとも合理的な手段というのは、じつは戦争なのだ。

残念ながら現状では、戦争以上に効果的なものはない。したがって戦争を根絶しようと思うならば、国際紛争解決の手段として戦争よりも効果的であり、戦争よりも合理的なメカニズムを考える以外にないのである。

しかし、これも残念ながら、国際社会では努力をしているが、まだそのメカニズムを考案するにいたっていない。

たとえば、一九二八年に不戦条約ができている。これはフランスの外相ブリアンとアメリカの国務長官ケロッグの提案によって、十五カ国が調印した戦争放棄に関する条約であり、その後、数多くの国が参加したが、現実には無力であった。

それ以後、国際紛争解決の手段としての戦争を弾劾し、国家の政策としての戦争を放棄するという考え方は、いろいろな形で何回となく繰り返し登場してきた。国際連盟や国際連合もその一つである。しかし、それは呪文《じゅもん》のようなものであって実際の効力はなく、今では発想上の誤りであることがはっきりしてきたわけである。

実際、国際紛争解決の手段ではない戦争というのはないし、その戦争を放棄するといってなくなるようなものではないからだ。たしかに戦争がなくなることはいいことだが、そのためには国際紛争を解決するための、まったく次元の異なるメカニズムを考え出さなければならないのだ。

主要参考文献

TIME; Special Issue, Inside The U.S.S.R. June 23, 1980.

Smith, Hedrick., *The Russians*, Sphere Books, London, 1976.

Bundesinstitut für ostwissenschaftliche und internationale Studien, *Sowjetunion* 19-78 /79 Köln, 1980.

Ditto, *The New Economic Systems of Eastern Europe*, C, Hurst & Co, Ltd, London, 1975.

Jacobson, M., *Finnlands Neutralitätspolitik zwischen Ost und West*, Econ Verlag, Düsseldorf, 1970.

Simon, G., *Die Kirchen in Russland*, Manz Verlag, München, 1968.

Yatsunsky, V.K., "Formation en Russie de la grande industrie textile sur la base de la production rurale" Deuxième conférence internationale d'histoire économique, 1962.

Sabaliūnas, L., *Lithuania in Crisis*, Indiana University Press, London, 1972.

羽仁信人「苦悩するソ連経済の実態」エコノミスト　二月一九日号　一九八〇年

解説

橋爪大三郎

本書『ソビエト帝国の崩壊』は、奇蹟の書物である。

人気の新書レーベル「カッパ・ビジネス」の一冊として書店に平積みになったのは、一九八〇年八月のこと。当時まだ、ソビエト連邦は健在だった。わずか一〇年のうちに冷戦が終わり、社会主義圏の国々が将棋倒しのようにあっけなく崩れていくとは、誰も想像すらできなかった。ただひとり、小室直樹博士を除いては。

「ソビエト帝国の崩壊」というタイトルは、ただの煽りコピーのたぐいと受け取られたろう。冷戦は永遠に続くように思われていた。ソ連軍が北海道に上陸するかも、と心配する議論もあった。よく探せば同じ八〇年ごろ、フランスあたりに、ソ連の崩壊を予告したジャーナリストがあとひとりいたとも言う。だが、そうだったとしても、本書はまるで別格である。小室博士は、公表されたデータにもとづき、社会科学の分析を組み立て、学問的な考察によってソ連は必然的に崩壊すると預言した。その原因や崩壊のプロセスも分析どおりだった。社会科学の切れ味は、これほど鮮やかだ。誰の目にもわかる超一流の業績である。

小室博士は数学、物理学を学び、経済学に転じ、アメリカに留学して心理学、社会学を学んだ。帰国してからは政治学、社会学を学び、法学博士の学位をえている。ほんものの学者とは、小室博士のような人物をいう。その常人離れした生涯は、村上篤直氏による伝記、『評伝　小室直樹（上）（下）』（ミネルヴァ書房、二〇一八年）に詳しい。小室博士に興味をもった読者はぜひ、この決定版の評伝をひもとくことをお勧めする。いちどページを開いたら、閉じることができないはずだ。

*

本書の切り口の第一は、階級論である。マルクスの階級論を、ソ連社会に適用した。資本を私有しない社会主義のソ連に、階級はあるのか。たしかに資本家はいない。だが威信や勢力や現物給付なども考えるなら、明らかに特権階層が形成されている。権力と富と威信を特権階層の人びとの手に集中させているほど、革命が起こればひとたまりもない。ロシア帝国がそうだった。いざというとき、特権階層を誰も守ってくれないからだ。

マルクスの階級論は、資本主義社会を分析するものだとみな思っている。だが、マルクスの議論が科学的で普遍的なら、ソ連社会も分析できていいはずだ。イデオロギーや先入見にとらわれていると、この着眼は出てこない。小室博士の発想力の柔軟さが光る。

切り口の第二は、経済論である。どんな商品でも買えるのが貨幣。誰もが貨幣を欲しがり、貨幣は増殖を始めて資本となる。資本主義経済の根源だ。計画経済ではどうか。貨幣があるだけでは商品は買えない。庶民は行列し、特権階層はやすやすと望みの品を手に入れる。貨幣より権力がものを言う。権力は生産を支配し、人びとにノルマを課す。資源はムダとなり、消費者は無視され、技術進歩はストップする。絶滅に向かうマンモスのような経済だ。

切り口の第三は、組織論である。組織は巨大化し、硬直化する。社会全体に対してある機能を果たすことは二の次で、その組織が存続すること自体が目的になる。そして社会全体に災厄をもたらす。かつての日本陸軍がそうだった。ソ連では、共産党と軍のあいだに巨大組織同士の非和解的な矛盾がある。スターリンによる軍人の大量粛清は、その必然的な帰結だった。生き残ったソ連共産党は、革命を諦めた、ただの既得権益の塊りだ。その存在そのものが、人民の幸福と矛盾する存在になっている。

切り口の第四は、エートス論である。ウェーバーは、神に奉仕し隣人愛に献身し契約を守る勤勉な近代的行動様式（エートス）が、プロテスタンティズムによってもたらされたと指摘した。ロシアは資本主義社会を経験していない。労働者も農民も、近代的なエートスをそなえていない。それを補うのが、皇帝のような専制権力だった。

切り口の第五は、デュルケームのアノミー論である。価値観や行動様式の根拠が失われると、人びとは急性アノミーに襲われ、社会は混乱する。敗戦直後の日本がそうだった。フルシチョフがスターリンを批判した。人びとはアノミーに襲われ、ソ連社会はシロアリに喰い散らされた木造家屋のようになった。崩壊は時間の問題なのだ。

切り口はほかにもまだある。それらを総合すると、みかけは立派なソビエト帝国の、ボロボロの内実が手に取るように明らかになる。本書はそういう、社会科学の応用のお手本のような本だ。

*

だが、マルクスもウェーバーもデュルケームも、社会科学の古典は誰でも読めるではないか。ソ連社会の現状についてのレポートやデータも、いくらでも手に入るではないか。なぜ小室博士は、そして小室博士だけが、ソビエト帝国の「崩壊」を預言できたのか。本書の読みどころはここである。

ここを摑まなければ、本書を読んだことにはならない。そして、本書を役立てることもできない。ソ連社会同様に、解明が待たれる困った社会現象は、いくらでもある。日本社会もそのひとつである。でも、手も足も出ないだろう。

＊

小室博士の思考の秘密。そのポイントは、小室博士が、まず数学を学んだことにある。小室博士は、英語など語学もよくできた。物理学や、歴史や古典も得意だった。だが、数学科に進んだことからもわかるように、数学的思考にとりわけ長けていた。数学は、方程式の集積である。

中学で、方程式を習う。いちばん簡単な一次方程式、

$$ax = b$$

を解きなさい。ハイ、

$$x = b/a$$

です。――これでは、零点だ。数学の基本のキがわかっていない。

これは、$a \neq 0$ の場合。$a = 0$ の場合はどうするか。別に解かなければならない。場合はさらに二つに分かれ、$b \neq 0$ の場合は、x は不能（あてはまる解なし）。$b = 0$

の場合は、xは不定（なんでもよい）、になる。こう答えなければ正解でない。

方程式のキモ。方程式は、特定の場合に成り立つ「条件」を表す。方程式を計算で解くこともいちおう大事だが、方程式が成立する「条件」を意識することが、もっと大事である。そうすれば、その条件が「成り立たない場合」に何が起こるかを、つねに意識し、考えることができる。

アインシュタインは、マイケルソン・モーリーの実験が、ニュートン力学のもとで成り立たないことに悩んだ。正しいとされる理論が「成り立たない場合」があった。ニュートン力学が成立する（しない）ための条件がそこに隠されているに違いない。この条件を、ああでもない、こうでもないと構想するなかから、相対性理論が生まれた。理論的思考とは、このようでなければならない。

＊

マルクス主義には、確立した理論がある。商品論。貨幣論。価値論。利潤率。資本の回転。そうした理論が成立するには、必ず一定の前提がある。それを意識せず、ただ丸暗記のように、マルクスは正しいと思い込むのは、科学的な態度ではない。マルクス主義者のあるべき態度でもない。帝国主義段階ではどうか。独占資本のもとではどうか。マルクス主義者も、『資本論』を応用しようと、工夫したのだ。

マルクス主義の経済学と、近代経済学とはそもそもどういう関係にあるか。どちらも市場経済の理論である。モデルの前提（条件）が違うに決まっている。その条件を特定し、マルクス経済学と近代経済学の関係を明らかにするのは、大仕事だ。サミュエルソンが一九五〇年代に途中までやりかけて、放り出した。それを完成させたのは、森嶋通夫教授の『マルクスの経済学』（一九七三年）だ。森嶋教授は阪大時代に、小室博士を指導している。

小室博士はそのマルクスの理論を、ソ連社会に適用した。ほかにも補助線として、ウェーバーやデュルケームや、役に立ちそうな社会科学の理論を援用した。もっとも正統的で科学的な仕事であることが、理解できるだろう。

＊

方程式は、「条件」である。理論は、「条件」である。「条件」であるから、方程式や理論は無条件に正しいわけではない。——このことを心底から理解することが、どれだけ大事かわかるだろうか。

マルクスがすばらしいことを言っている。ウェーバーが重要なことを言っている。フロイトがよさそうなことを言っている。サムエルソンが立派なことを言っている。のだとして、これらの理論や主張を「組み合わせ」るには、どうしたらよいだろう。

ふつうの学者や専門家は、違った分野や領域の理論や主張を「組み合わせ」たりはしない。そんなことは考えもしない。そもそも習っていない。教わったとおりにそのギョーカイの原則を、オウムのように繰り返すだけである。そういう学者や専門家は、三流以下である。頭をまるで使っていない。

だが、考えてみればわかることだが、現実の出来事は、学問の分野や領域に分かれて起こってくれない。ビジネスの現場を例にとっても、ある案件は経済はもちろん、法律にも科学にも政治にも社会学にも、哲学や道徳や芸術にだってまたがっている。それぞれの分野や領域で、正しいことになっている理論や主張があったとして、それらをどう持ち寄って「組み合わせ」ればいいか。

それぞれの理論や主張が、ある一定の「前提」のもとで成立すること。これを自覚することが第一である。「前提」とは、条件と言ってもよい。そして、その条件をゆるめたり変更したりすると、ほかの分野や領域の主張と関係づけることができる。そうすれば、さまざまな学問分野の成果を、「組み合わせ」て考えることができる。これが、ほんとうに「ものを考える」ということである。

たとえば『ソビエト帝国の崩壊』では、ソ連社会にも階級がある、とする。階級は、マルクスの経済学によれば、生産手段の所有にもとづいて定義される。けれども小室博士はこの定義の条件を、微妙にゆるめている。歴史学や社会学では、階級の概念を、経済学よりはゆるめて使うからだ。すると、ソ連社会の階級分析が可能になる。これが、いくつかの分野や領域の成果を「組み合わせ」て考察する、お手本になっている。

本を読むときには、条件に注意すること。うんうん、なるほど、と著者の主張にうなずくだけでは、本を読んだことにならない。どういう条件のもとに、その主張が成り立つかチェックすること。その条件が成り立たなければ何が起こるか、考えてみること。これが「応用力」につながる。知性ある経営リーダー、社会リーダーとして、重要な意思決定に関わる場合の、必須の能力である。

どうか読者は、『ソビエト帝国の崩壊』を、その練習問題のように、読んでいただきたい。いくつもの切り口が組み合わさって、鋭い切れ味になっていることがわかる。

＊

小室直樹博士は一九七〇年代に、東京大学の社会学研究室で、自主ゼミを開くようになった。「小室ゼミ」である。その経緯は、先述の『評伝 小室直樹』に詳しい。私は一九七四年からゼミに参加し、教えを受け、やがて常連メンバーの一人となった。

小室博士は定職もなく質素に暮らし、研究や論文の執筆に励んでいた。雑誌『思想』に連載した論文などで、アカデミアの一部では有名になっていた。一九七六年には『危機の構造』(ダイヤモンド社)も出た。論文執筆のためときどき断食をした。断食のやりすぎで体調を崩した。そこで周囲の勧めで執筆したのが、『ソビエト帝国の崩壊』である。

『評伝 小室直樹』によると、ソ連が崩壊するという予測は、一九五六年に遡る。大阪大学大学院修士課程二年のとき、雑誌『桃李』四月号に、「スターリン批判からソ連の崩壊へ」を発表している。フルシチョフによる同年二月のスターリン批判を、敗戦を機とする戦後日本の価値観の混乱と、直観的に重ね合わせたのではないだろうか。ともかくソ連の崩壊は、研究を続けるかたわら、ずっと温めていたテーマであった。一般読者に問うにふさわしいと、真っ先に頭に浮かんだのだろう。

*

『ソビエト帝国の崩壊』によって、小室直樹博士は一躍、ベストセラー作家の仲間入りをした。それ以後の活躍は、誰もが知る通りである。

しかし小室博士は、生活スタイルを変えなかった。相変わらず、石神井公園に近い練馬区のアパートで暮らし、学者としての覚悟を失わなかった。「社会科学の復興」を願ってやまなかった小室博士の存在が、日本の社会科学の最低線を支え、崩壊から救ったと言ってもよい。

『ソビエト帝国の崩壊』のあちこちにほんの数行、書かれている補助線が、のちに大きな構想に発展して行った。そのことは、後続する著作を読むと理解できる。小室博士の社会科学の知識と熱情の原点が、この一冊に詰まっている。この奇蹟の書物が、このたび文庫のかたちになって、若い世代の多くの読者の手に届くようになったことを心から喜びたい。

本書は、1980年に出版された弊社「カッパ・ビジネス」版を底本にしています。2022年現在の世界状況を予言したかのような、まことに示唆に富んだ作品です。しかしながら、本文中に「気違いのように」「気違いじみた」「狂気の沙汰」など精神障害への偏見や差別を助長するような比喩や、「脚気の相撲とりのように」といった疾病を揶揄した表現が用いられています。また、ユダヤ人に関する記述に関して、誤解を招きかねない表記も含まれています。編集部では本作が成立した当時の時代背景、および作者がすでに故人であることを考慮した上で、これらの表現についても底本のままとしました。それが今日ある人権侵害や差別問題を考える手がかりとなると判断したものです。差別の助長を意図するものではないことを、ご理解いただけると幸いです。

（編集部）

光文社未来ライブラリーは、
海外・国内で評価の高いノンフィクション・学術書籍を
厳選して文庫化する新しい文庫シリーズです。
最良の未来を創り出すために必要な「知」を集めました。

本書は1980年8月に光文社「カッパ・ビジネス」として刊行した作品に、
新たに解説を付して、文庫化したものです。

光文社未来ライブラリー

ソビエト帝国《ていこく》の崩壊《ほうかい》

瀕死《ひんし》のクマが世界《せかい》であがく

著者 小室直樹《こむろなおき》

2022年8月20日　初版第1刷発行

カバー表1デザイン　bookwall
本文・装幀フォーマット　bookwall
発行者　三宅貴久
印　刷　新藤慶昌堂
製　本　ナショナル製本
発行所　株式会社光文社
〒112-8011東京都文京区音羽1-16-6
連絡先　mirai_library@gr.kobunsha.com（編集部）
03(5395)8116（書籍販売部）
03(5395)8125（業務部）
www.kobunsha.com
落丁本・乱丁本は業務部へご連絡くだされば、お取り替えいたします。

ISBN978-4-334-77059-4　Printed in Japan